Pop Lit
Quote Spivey

1. Rom /Athens
lit

STORIA DELLA PRIMA ITALIA

Questo volume appartiene a

....

Massimo Pallottino

STORIA DELLA PRIMA ITALIA

RUSCONI LIBRI

Prima edizione maggio 1994

Nella collana «Orizzonti della storia»
Prima edizione novembre 1984
Terza edizione ottobre 1985

Cartine storiche
disegnate da Riccardo Orsolano

ISBN 88-18-70031-6

PREMESSA

Questo libro nasce dalle conferenze Thomas Spencer Jerome tenute a Roma e ad Ann Arbor (Michigan) nel 1968. La loro pubblicazione fu ritardata, oltre che da circostanze personali, anche e soprattutto dall'imprevisto intensificarsi, proprio negli anni immediatamente successivi, di scoperte archeologiche e di discussioni critiche più o meno direttamente attinenti alla materia, che rendevano indispensabile un grosso lavoro di aggiornamento. L'incidenza di queste novità non ha per altro alterato la sostanza del discorso, le cui linee e la cui articolazione restano fedeli all'impianto originario. L'autore ha avuto nel frattempo, come è comprensibile, ripetute occasioni di richiamarsi all'argomento qui trattato e alle sue prospettive: tra l'altro nell'ottavo Convegno di studi sulla Magna Grecia a Taranto (relazione su *La Magna Grecia e l'Etruria* e successivo intervento, *Atti*, Napoli 1969, pp. 33-48, 250-255); nel saggio *Sul concetto di storia italica*, pubblicato in *Mélanges offerts à Jacques Heurgon. L'Italie préromaine et la Rome républicaine*, Roma 1976, pp. 771-789; da ultimo nell'articolo *L'Italia prima della romanizzazione: proposta di una sintesi storica*, a conclusione dell'opera *Popoli e civiltà dell'Italia antica*, VII, Roma 1978, pp. 371-390. Ciò che si offre attualmente all'attenzione degli studiosi e se possibile di un più vasto pubblico di lettori è dunque un lavoro concepito da tempo, ma ulteriormente arricchito e rimeditato, tale da potersi ormai considerare maturo per la stampa.

Si trattava e si tratta di dare forma a un'idea che tende a porre in nuova luce il significato e la funzione dell'Italia nel quadro del mondo mediterraneo durante il I millennio a.C., cercando di proporre, o riproporre, una considerazione unitaria dei suoi molteplici fenomeni ed avvenimenti, trattati finora generalmente in modo analitico e frammentario attraverso indagini archeologiche, linguistiche, etnografiche sulle singole popolazioni e culture, al margine della storia greca e della storia romana. Porre in evidenza le correlazioni di questi fenomeni ed avvenimenti tra loro e con i grandi fatti esterni e individuare un loro comune processo di sviluppo equivale a riconoscere l'esistenza, entro certi limiti, di un ciclo storico proprio dell'area italiana prima della sua unificazione sotto il dominio di Roma, e autonomo rispetto alla storia greca e alla storia romana: che è quanto dire riempire un vuoto della storia dell'antichità e delineare il primo capitolo della storia d'Italia. L'interesse di una cosiffatta rievocazione appare, crediamo, tanto maggiore, e oseremmo anche dire tanto più attuale, in quanto nell'Italia preromana affonda saldamente le sue radici la vocazione regionale del nostro paese che costantemente si manifesterà attraverso i secoli in opposizione dialettica con la sua vocazione unitaria.

Questo libro vuole non soltanto aprire una prospettiva critica diversa dai concetti tradizionali o "descrivere" fatti in gran parte già noti sotto altri profili, ma anche e soprattutto "narrare" questi fatti nel loro ordine e nella loro sequenza come un vero e proprio libro di storia. Ma proprio la novità della prospettiva critica suggeriva l'opportunità di affrontare la materia in un quadro sintetico, quasi nella misura di un compendio, tale da rendere più facile la comprensione unitaria del suo sviluppo. Si aggiunga l'esigenza, che non si è trascurata, di adottare una forma di esposizione per quanto possibile piana, chiara, accessibile ad ogni persona colta senza superflui tecnicismi specialmente di linguaggio; mentre, come è ovvio e doveroso, si forniscono i dati bibliografici essenziali per ogni esigenza di verifica e di approfondimento.

Particolare cura si è posta nella documentazione grafica delle cartine storiche, ridisegnate appositamente per quest'opera con tutti i necessari aggiornamenti. Un vivo ringraziamento dell'autore va alla dottoressa Maria Paola Baglione, al professor Franco Panvini Rosati e, ovviamente, alla Casa Editrice.

I.

PER UNA DEFINIZIONE DEL CONCETTO DI «STORIA ITALICA»

Quale Italia?

Con l'espressione « Italia preromana » s'intende per generale convenzione l'Italia antica prima della sua unificazione politica, giuridica, linguistica e culturale da parte di Roma (e di cui Roma stessa fa parte nelle prime fasi della propria storia). È questo il campo che costituisce l'oggetto della nostra trattazione e di cui si ritiene opportuno chiarire subito le caratteristiche essenziali.

Precisiamo anzitutto la materia del discorso nei suoi termini geografici e nei suoi limiti cronologici. Parlando di « Italia » ci riferiamo ad un concetto per noi familiare che tuttavia si definì storicamente soltanto con la conquista romana, cioè con l'estensione formale dell'unità politica romano-italica fino alle Alpi nel 42 a.C. secondo il disegno di Cesare; né comprenderà le grandi isole tirreniche, Sicilia, Sardegna e Corsica, se non in tarda età imperiale. Per i tempi anteriori alla romanizzazione esiste, come è noto, una vaga nozione dell'area italiana come realtà geografica, che andrà concretandosi progressivamente (fra il V e il III secolo a.C.) con il propagarsi del nome « Italia » dal Mezzogiorno all'intera penisola, alla quale resterà ufficialmente limitato fino all'annessione della Gallia Cisalpina, cioè dell'Italia settentrionale, anche se già dagli scrittori di età ellenistica cominciava a guardarsi all'arco alpino come all'ultimo e vero confine naturale della *terra Italiae*. Noi prenderemo comunque in considerazione l'intera area italiana continentale, e terremo conto delle isole, specialmente della

Sicilia legata alla penisola da stretti vincoli di continuità e affinità sin dalla preistoria.

Quanto al quadro cronologico, sembra ovvio che una "storia" dell'Italia antica debba prendere avvio dal momento in cui sia possibile conoscerne, sia pure embrionalmente, le vicende attraverso gli echi della tradizione e la possibilità di utilizzare documenti scritti: ciò che, escludendo le età preistoriche più remote testimoniate soltanto da relitti materiali, ci è dato constatare a partire dall'avanzata età del bronzo e più ancora dagl'inizi dell'età del ferro, cioè tra gli ultimi secoli del II millennio e i primi secoli del I millennio a.C., quando nell'area italiana cominciarono a penetrare i primi riflessi delle civiltà superiori del Mediterraneo orientale e vennero progressivamente definendosi le strutture etniche e culturali conosciute dalle fonti storiche. Tali strutture perdureranno fino alla romanizzazione dell'Italia che segna il limite finale del nostro argomento: limite per altro non rigorosamente puntualizzato nel tempo, data la gradualità del processo che va dalla imposizione dell'egemonia di Roma sulla penisola al principio del III secolo fino al compimento unitario nel I secolo a.C.

Così determinato lo spazio geografico e cronologico dell'Italia preromana dobbiamo constatare che l'insieme dei suoi fenomeni non può riassumersi con immediata evidenza in un'immagine dai contorni ben definiti, quale è quella che ci offre il contemporaneo mondo greco, espressione di una sola stirpe con caratteri originali, coerenza di sviluppo, tradizione unitaria. L'Italia preromana è, al contrario, un coacervo di popolazioni di origine, lingua e cultura diverse, e ai più diversi livelli di avanzamento; mentre insediamenti ed influssi di genti esterne, dal Mediterraneo – in misura determinante la colonizzazione greca – e dall'Europa continentale, la collegano e la subordinano per tanti aspetti ad altre aree di civiltà dandole in generale l'apparenza di un ambiente di esperienze recettive piuttosto che di esperienze creative. Ciò spiega perché ne sia stata e ne sia così difficile la comprensione, e per così dire sfuggente il significato; e perché il suo studio si sia disperso per mille rivoli di discipline particolari e diverse, identificandosi volta a volta con ricerche di preistoria, di archeologia classica, di linguistica, di storia delle religioni, di storia dell'arte, oltreché ovviamente di storia greca e di storia romana.

L'idea che all'unità dell'Italia romana soggiacesse una realtà etnica e storica estremamente composita fu chiara agli antichi, dai quali ci proviene il ricordo dei diversi popoli con i loro nomi, i loro territori, le loro caratteristiche. L'immagine di questa realtà, sia pure vista nella sua fase finale immediatamente antecedente o contemporanea alla conquista romana, si riflette del resto in modo diretto e immediato, subito dopo il compimento del processo unitario, nella suddivisione amministrativa dell'Italia da parte di Augusto in undici regioni recanti i nomi geografici ed etnici tradizionali: I Latium et Campania; II Apulia, Calabria, Salentini et Hirpini; III Lucania et Bruttii; IV Sabini et Samnium; V Picenum; VI Umbria; VII Etruria; VIII Aemilia (= Gallia Cispadana); IX Liguria; X Venetia et Histria; XI (Gallia) Transpadana. Né mancò la coscienza di quei legami marginali ad aree esterne di cui si è fatto cenno quale ulteriore indizio di carente unitarietà e autonomia dell'area italiana: il Mezzogiorno colonizzato dai Greci era stato infatti sentito anche come parte della grecità e chiamato *Magna Graecia*; il Settentrione celtizzato fu considerato parte del mondo gallico e chiamato *Gallia Cisalpina*.

Per illuminare un paesaggio così complesso e tormentato attraverso l'evidenza delle fonti storiche noi possediamo soltanto la letteratura classica, greca e latina, che è tuttavia sussidio parziale ed imperfetto. Ne risulta investita direttamente – sia pure con tutti i limiti che derivano dalla perdita di opere di particolare rilevanza – la conoscenza di due settori o "profili" del quadro: cioè da un lato la sfera della colonizzazione greca (al margine della penisola ed anche, contestualmente e inseparabilmente, in Sicilia) nelle sue vicende interne e nei suoi rapporti esterni con il resto del mondo ellenico; da un altro lato la storia di Roma che progressivamente si svolge dalle origini nel cuore dell'Italia fino ad abbracciarne l'intera estensione. Fuori di queste due zone di luce esiste solo la penombra di testimonianze indirette e frammentarie dovute essenzialmente alla curiosità geografica ed etnografica degli scrittori greci e all'interesse della storiografia romana per le genti e per le culture con le quali Roma era via via venuta in contatto. La conquista romana e l'imporsi della lingua e della civiltà latina hanno d'altra parte fatto scomparire ogni traccia di memorie originali locali – si allude in particolare alla letteratura etrusca –; cosicché ci manca il legame di continuità di una tradizione storica con gran parte dell'Italia preromana. Per tentare di superare questo distacco, purtroppo in misura assai limitata, non si dà altra possibilità che ricomporre le tracce variamente offerte dai resti archeologici, dai documenti epigrafici, oltre che dai modesti riferimenti delle fonti classiche cui si è testé accennato.

In tali condizioni si comprende perché la conoscenza delle fasi e delle culture dell'area italiana prima della romanizzazione sia rimasta al margine degli studi di storia antica o sia rientrata nella loro sfera d'interesse solo per singoli aspetti o da punti di vista disparati: perché, cioè, siano state considerate come temi o problemi storici a sé stanti le vicende della Magna Grecia e della Sicilia (nell'ambito della storia greca), di Roma (come primo capitolo della storia romana), degli Etruschi e, per quanto percepibile, di altre genti e comunità indigene; o si sia anzi addirittura visto tutto questo mondo eterogeneo essenzialmente in rapporto a Roma, quasi una preparazione della romanità, tanto da introdurne, e spesso esaurirne, la trattazione a premessa d'obbligo di ogni opera dedicata alla storia di Roma.

Ma non sono mancati né mancano richiami a motivi che indurrebbero a ragionare in modo diverso o, se si preferisce, in una prospettiva diversa, rilevando, di là dalla obiettiva molteplicità e difformità dei fenomeni e dalla disuguaglianza delle nostre fonti d'informazione, l'esistenza di tradizioni e di sollecitazioni comuni, di reciproche interferenze e concatenazioni spazio-temporali fra i diversi popoli e centri di civiltà, di tendenze generali di sviluppo, di espressioni culturali affini: tali da giustificare anche il tentativo di una valutazione storica entro certi limiti unitaria ed autonoma di questa « prima Italia ». Vedremo nelle pagine seguenti come questa idea si sia affacciata alle soglie del pensiero moderno e torni a riproporsi con sempre maggiore evidenza negli studi del nostro secolo. Ad essa s'ispira l'impianto del presente volume che, sia pure con ogni cautela e avvertenza critica e alla luce dei dati di conoscenza più aggiornati, intende saggiarne la validità traducendola, per la prima volta ai nostri giorni, in un vero e proprio quadro di sintesi espositiva e narrativa.

Micali e il pensiero storico dell'Ottocento.

È noto che gli schemi fondamentali della storiografia scientifica moderna sul mondo classico cominciarono a definirsi tra la fine del XVIII e il principio del XIX secolo. In questo periodo apparvero le opere di W. Mitford, *History of Greece* (1784-1810), e di G.B. Niebuhr, *Römische Geschichte* (1811-1832), nelle quali si riconosce generalmente il decisivo avvio alle discipline che chiamiamo « storia greca » e « storia romana ». Ma proprio negli stessi anni – con una coincidenza di date il cui valore, se non erro, è sfuggito agli studiosi – vedevano la luce i libri di Giuseppe Micali, *L'Italia avanti il dominio dei Romani* (1810, ma già concepito dal 1790), e, con titolo ancor più significativo, *Storia degli antichi popoli italiani* (1832).

È opinione corrente e tradizionale che l'opera del Micali appartenga al filone erudito dell'antiquaria del Settecento esaltatrice del mondo etrusco e più generalmente italico, della quale sarebbe un'espressione ritardata ed in certo senso conclusiva, ancora estranea all'affermarsi del metodo della scienza storica: ciò che riflette con inerte accettazione i giudizi negativi della critica ottocentesca a cominciare dal Niebuhr. Sembra tuttavia oggi affacciarsi l'opportunità di una più attenta e sensibile rilettura di quegli scritti e di una loro sostanziale rivalutazione non soltanto in rapporto alla vastità del disegno e alla sistematicità e coerenza di sviluppo della materia trattata, ma anche per quel che riguarda la fondatezza dei dati e la maturità del ragionamento. Si tratta infatti già nel primo dei due libri – che è il più originale – di un quadro comprendente la descrizione dei singoli gruppi etnici incluso il mondo coloniale greco, un esame generale degli aspetti istituzionali, economici, culturali, linguistici, e infine una delineazione del succedersi degli eventi dalle origini alla conquista romana: tutto ciò affrontato con la dichiarata consapevolezza della necessità di un procedimento critico nel vaglio delle tradizioni antiche e con l'impiego dei dati archeologici ed epigrafici come fonti di storia (cioè « il sussidio dei monumenti » a fianco, e sullo stesso piano, dell'« autorità degli scrittori »); né si può trascurare una inclinazione singolarmente anticipatrice verso la storia concepita come risultato di condizioni ambientali, economiche e sociali. Lo stesso motivo di fondo antiromano, già affiorato nella letteratura settecentesca, ha valore di pensiero storico in quanto esprime sia pure in forma passionale l'esigenza di rivendicare uno spazio cronologico, culturale e politico autonomo alle esperienze dell'Italia prima della sua soggezione a Roma.

L'opera del Micali si differenzia dunque dal complesso dell'erudizione storica precedente e in parte contemporanea, anche se ne condivide e ne riassume le premesse ideologiche di accentuazione dei valori dell'italicità (destinate del resto a larga fortuna nel clima romantico e nazionalistico del Risorgimento italiano). Essa merita di essere restituita alla prospettiva del suo tempo e collocata a fianco dei grandi trattati storiografici contemporanei, come quelli sopra citati del Mitford e del Niebuhr, parallelamente ai quali si propose il fine di esplorare unitariamente uno dei grandi settori "reali" dell'antichità classica. Nello stesso momento e nella stessa condizione di incipiente progresso degli studi storici emergevano distinti i tre temi della Grecia, dell'Italia, di Roma.

Ma quale sarà poi il loro ulteriore sviluppo? Nel corso dell'Ottocento i filoni della « storia greca » e della « storia romana » continueranno a scorrere e a crescere ininterrottamente fino a dominare l'intero campo dell'*Altertumswissenschaft*, della scienza dell'antichità di età positivistica e postpositivistica. Al contrario il filone della « storia italica » finirà con l'isterilirsi e interrompersi. Ciò spiega perché le opere del Mitford e del Niebuhr sono tuttora considerate alla base di una tradizione storiografica viva, mentre quelle del Micali restarono confinate e dimenticate sul binario morto di una letteratura ritenuta prescientifica, fuori di ogni interesse critico-bibliografico.

Naturalmente la causa primaria della fortuna della storia greca e della storia romana, come concetti e come discipline accademiche, s'identifica con la esistenza stessa delle fonti letterarie antiche greche e latine. Per la predominante impostazione filologica dello storicismo ottocentesco la storia era legata essenzialmente, per non dire esclusivamente, alla utilizzazione e alla interpretazione di queste fonti. Si aggiungano poi altre considerazioni in rapporto con le tendenze del tempo. Sulla falsariga della storiografia antica il compito dello storico si riassumeva soprattutto nella narrazione dei fatti politici, militari, biografici, specchio dell'attività di ceti e personaggi emergenti ritenuti più degni di memoria. La dominante ideologia nazionalistica favoriva gli schemi di classificazione per unità etniche seguite attraverso tutto il loro sviluppo, nel senso di una "storia di popoli". Infine l'analogia delle scienze naturali portava ad adottare concezioni biologiche ed evoluzionistiche. Tutte queste ragioni concorsero, in modo determinante e per taluni aspetti irreversibile, al caratterizzarsi di due grossi "blocchi" storiografici, cioè appunto la storia greca e la storia romana, che rispondevano pienamente alle loro premesse. Viceversa l'idea di una storia dell'Italia preromana contrastava con tali principi, per il difetto di una tradizione storiografica originale ed unitaria, per la documentazione prevalentemente archeologica attestante le condizioni di vita e di cultura delle società piuttosto che i loro avvenimenti di spicco, per la mancanza di una unità nazionale e di una continuità evolutiva. La soluzione abortiva del tema proposto dal Micali al principio del secolo non fu dunque un fatto casuale, ma piuttosto la logica conseguenza di un orientamento di studi che portava implicitamente a disconoscerne la validità concettuale.

La storia del mondo italico in quanto oggetto di studio fondato sull'evidenza della letteratura classica si polarizzò verso la storia greca e la storia romana, e si identificò praticamente, come già accennato, con la storia della grecità marginale dell'Italia meridionale e della Sicilia e con la storia di Roma monarchica e repubblicana. Per tutti i campi geografici e cronologici non "coperti" da questo approccio diretto, e cioè per le rimanenti esperienze dell'Italia indigena, l'indagine descrittiva e ricostruttiva restò affidata pressoché esclusivamente agli archeologi e ai linguisti non oltrepassando i limiti del metodo e dei risultati delle loro discipline specialistiche (pur fortemente incrementate dalle scoperte e dall'intrinseco raffinamento critico) e avendo pertanto il carattere di uno studio orientato verso l'etnografia o l'antropologia protostorica piuttosto che verso la storia vera e propria. Occorre ben inteso sottolineare – e potrà giustamente obiettarsi – che in questo quadro gli Etruschi occupano un posto a parte per la loro importanza di gran lunga preminente rispetto ad ogni altro popolo anellenico d'Italia. Tuttavia l'etruscologia, nonostante il maggior numero di dati della tradizione e di documenti epigrafici, non raggiunse neppur essa una vera e propria impostazione storica: si configurò, cioè, essenzialmente come studio della civiltà etrusca, vale a dire dei monumenti, dell'arte, della religione, dei costumi, della lingua e così via.

Per quasi cento anni – proprio i più fecondi e progressivi per la riscoperta dell'antichità classica – si è dunque praticamente rifiutata una "storicità" intrinseca dei problemi dell'Italia preromana, affrontati piuttosto ad un livello di raccolta, di analisi, di interpretazione parziale, di interesse antiquario, che, richiamando in qualche modo il frammentismo erudito del Settecento, potremmo dire di "sottosviluppo" rispetto agli studi contemporanei sul mondo greco e sul mondo romano. Che tale stato di cose possa aver perdurato a lungo nelle posizioni della critica moderna si spiega soprattutto considerando il prestigio della scienza ufficiale, specialmente germanica, e dei suoi orientamenti che tendevano a favorirlo, sovente imposti con intollerante dogmatismo anche sul piano metodologico: per esempio nel senso della esaltazione paradigmatica della civiltà greca (culminata e riassunta nel neoumanesimo di Helmut Berve) e nel conseguente disinteresse, per non dire disprezzo, verso il "non greco" e il "non classico".

Nuovi orientamenti: la dialettica Italia-Roma.

L'assuefazione ai descritti atteggiamenti del pensiero storico nei riguardi dell'Italia preromana si è protratta nel nostro secolo e si fa sentire ancora per molti aspetti fino ai nostri giorni. Ma non potevano mancare di manifestarsi nel frattempo, come di fatto si sono manifestati soprattutto negli ultimi decenni, motivi di disagio e sintomi di reazione. Il continuo e sempre più intenso accrescimento delle scoperte archeologiche ed epigrafiche sulla civiltà degli Etruschi e degli altri popoli e centri dell'area italiana incluse le colonie greche era venuto a poco a poco mostrando con incontrovertibile evidenza la reale dimensione quantitativa e qualitativa di queste esperienze nel quadro generale del progresso storico-culturale del mondo antico, tale da rendere sempre meno accettabile una loro valutazione secondaria, marginale e frammentaria.

D'altra parte la stessa concezione generale degli studi di storia antica aveva subìto sensibilissimi sviluppi rispetto alla fase della loro impostazione ottocentesca. Essa si era andata progressivamente aprendo, di là dalla reinterpretazione delle notizie e dei racconti della letteratura classica, all'impiego globale di tutte le possibili fonti di conoscenza, epigrafiche, numismatiche, monumentali, figurate. I suoi interessi si erano estesi alla ricostruzione delle condizioni sociali, economiche, della vita, della tecnica, dei costumi. Soprattutto si era venuto superando il concetto delle storie nazionali con l'affermarsi di nuove e diverse prospettive di storia universale, di storia "epocale", di storia particolare di singoli ambienti, gruppi sociali, fenomeni culturali e così via. In ogni settore delle ricerche storiche e socio-antropologiche si manifestavano nette reazioni ai modelli evoluzionistici e deterministici. Si può dire che siano così cadute ad una ad una le principali preclusioni concettuali che avevano portato nel corso del XIX secolo al soffocamento dell'idea di una storia autonoma ed unitaria dell'Italia preromana.

Tutto ciò premesso non fa meraviglia che il tema proposto dal Micali sia venuto riaffiorando nella considerazione delle generazioni più recenti, sia pure in termini di più matura e sottile introspezione critica quali necessariamente imponeva l'evolversi dell'esperienza del pensiero storico contemporaneo.

In tal senso si affronta, specificamente e coscientemente, il problema del rapporto fra Italia e Roma. Nello schema tradizionale di una storia romana concepita come trattazione diacronica, cioè dello sviluppo continuo di Roma attraverso il tempo dalle origini all'impero universale, ovviamente il resto del mondo italico si delinea sotto un profilo "esterno" ed accessorio rispetto al vero ed unico oggetto d'interesse storico, che è Roma, e attraverso quell'ottica esclusivamente romana che era già stata propria degli annalisti e degli storici latini. Ma Roma è, essa stessa, parte del mondo italico: questa semplice realtà non sfuggì agli antichi, né poteva sfuggire alla riflessione critica dei moderni. Già si è accennato al fatto che il pensiero storico antico aveva acquisito una certa idea dell'Italia indipendentemente da Roma, mentre d'altra parte l'Italia si identificava di fatto con l'estensione del dominio di Roma. La distinzione tra i due concetti, che poté assumere nella singolare contingenza storica della guerra « sociale » del principio del I secolo a.C. una sfumatura di acuta contrapposizione (come si avrà occasione di ampiamente riferire e commentare), trovò poi invece, soprattutto nel clima politico-ideologico dei tempi di Augusto, una formula conciliativa che tendeva a stabilire fra l'Italia e Roma un fatale e felice rapporto di continuità e di compimento – ne è espressione massimamente significativa il poema virgiliano – e pertanto a considerare l'Italia come fattore "interno" ed essenziale della storia di Roma (come Roma della storia dell'Italia). Questo richiamo alle posizioni del pensiero antico può essere utile per comprendere l'atteggiamento moderno nei riguardi dello stesso problema, dal quale nasce una nuova propensione a considerare i valori del mondo italico con sempre maggiore interesse sul piano della coscienza storica – non più dunque soltanto al livello dell'acquisizione e dell'accumulo delle conoscenze – rispetto alla impostazione rigidamente romanocentrica dello storicismo ottocentesco.

È significativo in proposito che già alla metà del secolo XIX Theodor Mommsen nella sua famosa *Römische Geschichte* avesse dichiarato di voler raccontare piuttosto la storia dell'Italia che non la storia di Roma, in quanto Roma aveva dato forma ad una materia italica: che è quan-

to dire che il rapporto dialettico fra Italia e Roma veniva inteso decisamente nel senso di una complementarità tutto sommato non dissimile dai punti di vista dei Romani di età augustea, e viceversa in netto contrasto con l'impostazione del Micali che concepiva quel rapporto come frattura e antitesi. L'intuizione problematica mommseniana restò tuttavia isolata, e teorica, in un contesto metodologico e narrativo che è quello della « storia romana » scritta nello spirito del suo tempo.

La possibilità di rimeditare la storia di Roma e della civiltà romana, soprattutto per le fasi più antiche, alla luce offerta dalla documentazione linguistica e archeologica di altre popolazioni italiane e di ricostruire un tessuto di condizioni e di processi comuni e di influenze reciproche cominciò a farsi concreta, e cosciente, a partire dall'inizio del nostro secolo. Senza dubbio questo genere di apporti non era, e non è, commisurabile alla soverchiante portata dell'evidenza interna e diretta della tradizione storiografica romana; ma per quanto limitato e frammentario esso si è venuto dimostrando singolarmente prezioso, se non talvolta addirittura determinante, ai fini della conferma, della rettifica, della precisazione e dell'accrescimento delle conoscenze derivanti dalla critica delle fonti letterarie.

Un iniziale esempio di utilizzazione sistematica del materiale epigrafico non latino (più particolarmente etrusco), in funzione dello studio di un fenomeno di "circolazione" romano-italica quale è quello dell'origine dell'onomastica personale latina, s'incontra nell'opera di W. Schulze, *Zur Geschichte lateinischer Eigennamen* (1904). Ma le iscrizioni etrusche, umbre, osche, con il loro valore di fonti fresche, genuine, cronologicamente immediate – anche se spesso di ardua interpretazione – e in continuo incremento, concorreranno soprattutto a rinnovare, se non addirittura a rivoluzionare, il settore delle ricerche sulla storia del diritto e delle istituzioni di Roma in età regia e repubblicana, a cominciare dal saggio di A. Rosenberg, *Der Staat der alten*

Italiker (1913), che subordinò per la prima volta la problematica strettamente romanistica ad una prospettiva italica comune. Si apre così quel lungo discorso che, attraverso il confronto di molteplici esperienze disciplinari (epigrafiche, linguistiche, filologiche, storico-culturali, giuridiche, sociologiche, ecc.), il giuoco di alterne accentuazioni polemiche (in senso a volte romanistico, a volte italicistico) e l'intreccio di complesse e sottili discussioni ed ipotesi – da ultimo incentrate specialmente sul tema del passaggio dalla monarchia alla repubblica –, ha coinvolto, e tuttora coinvolge, una illustre schiera di storici e giuristi di diverse nazioni, quali tra gli altri E. Kornemann, F. Leifer, H. Rudolf, E. Meyer, L. Pareti, P. Fraccaro, S. Mazzarino, A. Alföldi, A. Momigliano, P. De Francisci, F. De Martino, J. Heurgon, R.E.A. Palmer, J.-C. Richard. Analoghi orientamenti si sono manifestati nello studio della religione romana più antica in rapporto con i culti italici e per altri problemi come, da ultimo, quello della nascita della città.

Il decennio 1920-1930 segnò un improvviso generale acuirsi d'interesse per la conoscenza delle civiltà dell'Italia preromana. Da un lato gli studi etruscologici, stimolati da nuove ricerche e scoperte archeologiche (come quelle di Veio e Cervèteri), si trovarono a compiere progressi decisivi in tutti i campi, dalla discussione sulle origini alle indagini sulla lingua e ai tentativi d'individuazione di un'originalità della produzione figurata etrusca rispetto all'arte greca; si avviarono ad organizzarsi in incontri scientifici internazionali e in istituti stabili di ricerca; diventarono un fatto di cultura europea. Da un altro i fenomeni di cultura delle diverse popolazioni italiche, anche fuori dell'Etruria, cominciarono ad essere trattati in vaste opere sistematiche come l'*Italische Gräberkunde* di F. von Duhn (1923). Né può trascurarsi la constatazione che, dal bilancio della grandiosa attività esploratrice di Paolo Orsi nei siti della Magna Grecia e della Sicilia e attraverso i contributi delle opere di storici come G. Giannelli e E. Ciaceri, si aprì parallelamente, nel medesimo periodo, una nuova e più moderna visione dei Greci in Italia: preludio allo straordinario impulso di iniziative di scavo e di discussione scientifica che caratterizzerà questo settore nell'ultimo dopoguerra.

Tutto ciò avviava ad un'ulteriore decisiva presa di coscienza dell'importanza del mondo italico nel suo complesso di fronte allo scarso interesse della storiografia tradizionale. Ed è particolarmente significativo che in un solo anno, cioè nel 1925, si siano concentrati tre avvenimenti scientifici di fondamentale rilievo in tal senso: cioè la pubblicazione dei libri di E. Pais, *Storia dell'Italia antica*, e di L. Homo, *L'Italie primitive et les débuts de l'impérialisme romain*, e soprattutto la conferenza di Ulrich von Wilamowitz-Moellendorf tenuta a Firenze con il titolo *Storia italica*.

Vedremo subito quale più speciale significato, nella storia del problema di cui si discorre, abbia avuto quest'ultimo fatto, cioè la presa di posizione del Wilamowitz. Ma possiamo intanto riconoscere ormai affermata la tendenza degli storici a trattare tutta la prima parte della storia romana fino all'unificazione della penisola come una storia italico-romana, relativamente a sé stante, quasi un condominio concettuale fra le due prospettive storiche dell'Italia e di Roma (di cui la prima concepita piuttosto in senso statico e condizionante, la seconda in senso dinamico ed innovatore: diremo più o meno secondo il già ricordato orientamento del Mommsen). È il caso, oltre che delle opere citate del Pais e di Homo, di diverse altre successive, tra le quali si includono alcune storie di Roma di più particolare rilevanza critica come quelle di K.J. Beloch, di F. Altheim (che nella prima edizione, 1941, porta esplicitamente il titolo *Italien und Rom*), di L. Pareti. In esse appare pienamente acquisita la consapevolezza di una inscindibilità non solo di Roma dalle comunità circostanti, ma anche dell'Italia anellenica dall'Italia greca: ciò che può riassumersi nel concetto di *koiné* greco-italico-romana proposto da S. Mazzarino.

Non si può d'altra parte evitare la constatazione che anche per questi studiosi il rapporto dialettico fra Italia e Roma è concepito, nel tempo, come continuità necessaria (nel senso dell'antica ideologia augustea) e che pertanto il destino dell'Italia resta in ultima analisi segnato dal "miracolo" di Roma che ne raccoglie unitariamente le multiformi premesse e ne conclude il comune travaglio; cosicché l'esperienza italica – sono parole del Mazzarino – « si protende verso l'avvenire » ed « acquista significato soltanto in funzione di Roma »: ciò che equivale ad affermare che, in sé, i fatti italici non filtrati attraverso Roma sarebbero pur sempre oggetto di mera erudizione, non di storia. La forza istintiva di questa persistente suggestione e convinzione – cioè della italicità come preludio della romanità – si dimostra altrimenti, ad esempio, nella stessa intitolazione di un libro dedicato ex professo alla descrizione dei popoli e delle civiltà dell'Italia preromana, riassuntivo degli studi della fase immediatamente precedente e rimasto unico nel suo genere fino a questi ultimi tempi: vogliamo dire l'opera di J. Whatmough *The Foundations of Roman Italy* (1937).

Prospettive attuali.

Il discorso cambia ancora, e radicalmente, quando tra il pluralismo italico e l'unità romana viene a proporsi coscientemente una netta linea di separazione non soltanto cronologica, ma di qualità e di modello, tale da legittimare l'idea dell'esistenza di due "storie" diverse. Questo punto di vista ebbe il suo atto di nascita, improvviso e clamoroso, nella già citata conferenza fiorentina del Wilamowitz, attraverso l'affermazione della ricchezza e dell'originalità dei valori di "vita" e di civiltà del mondo italico, della loro appartenenza a tutte le stirpi dell'Italia antica compresa la greca, della loro influenza su Roma, del loro esaurirsi in conseguenza della romanizzazione: posizione che, rifacendosi esplicitamente al Micali e recuperandone il pensiero di fondo, non solo sorpassa, ma addirittura rovescia le idee correnti, proprio in quanto nega un processo evolutivo dai primordi italici al trionfo della romanità e considera quest'ultimo piuttosto come chiusura di un ciclo storico antecedente, in sé compiuto. Coniando l'espressione « storia italica » per esprimere tali concetti, il Wilamowitz lanciò agli studiosi l'esplicito invito a scrivere una storia italica basata soprattutto sulla testimonianza dei monumenti, considerati non più soltanto come oggetto di un interesse archeologico puramente descrittivo ed analitico, ma come autentiche fonti di storia, sostitutive, in questa specifica sfera culturale e cronologica, delle fonti letterarie: ciò che significava proporre – o riproporre con più sicura formulazione critica – un criterio essenziale di individuazione e di valutazione autonoma dei fatti dell'Italia preromana al riparo da ogni possibile giudizio alterato dalla visione a posteriori della storiografia romana.

Che la proposta, coraggiosa ed in certo senso provocatoria, del Wilamowitz non abbia avuto riflessi immediati – e che il suo appello non abbia trovato una puntuale risposta diciamo pure fino alla pubblicazione del libro che qui si presenta – è un fatto che si spiega considerando gli orientamenti della critica storica di quegli anni e degli anni immediatamente successivi, pur sempre incentrati sull'interesse primario della storia romana o di una storia italico-romana tutto sommato inscindibile come si è visto, e forse anche tenendo conto che il Wilamowitz era un filologo e non uno storico. In effetti gli echi più diretti, benché sporadici, di questa posizione di rottura si avvertono nel campo degli archeologi e dei linguisti: così Amedeo Maiuri nel suo saggio *Problemi di archeologia italica* (1946), richiamando Micali e Wilamowitz, raccomandava di trarre un frutto storico dal fecondo lavoro di riesumazione delle antiche civiltà italiane; e la stessa esigenza, seppure in altri termini, fu affermata da Giacomo Devoto tra l'altro nella premessa della seconda edizione del libro *Gli antichi Italici* (1951): « dare un quadro moderno dell'Italia antica attraverso occhi non romani ». Ma infine anche uno storico come Giulio Giannelli, sia pure in sede di rassegna retrospettiva degli studi di storia romana, cioè nella introduzione del suo *Trattato di storia romana*, I (1953), affrontando esplicitamente i problemi di cui qui si discute, si pronunciava a favore di una consistenza autonoma della « storia italica », cioè della linea Micali-Wilamowitz, denunciando l'« errore d'impostazione » della storiografia tradizionale.

Su tale linea più avanzata di revisione si collocano in concreto diversi spunti di ricerche e pubblicazioni recenti e recentissime relativi a singoli problemi storici, istituzionali e culturali dell'Italia preromana. Essi mostrano una tendenza sempre più spiccata a ravvicinare, comparare, interpretare unitariamente e talvolta perfino identificare dati o notizie riferibili a fatti più o meno contemporanei finora considerati isolatamente nei separati àmbiti della Magna Grecia, di Roma, dell'Etruria, e così via. Si tratta di osservazioni che si concentrano su punti o temi divenuti di più vivo interesse negli ultimi anni anche a seguito di alcune straordinarie scoperte archeologiche e tra l'altro epigrafiche.

Non v'è dubbio ad esempio che dai sempre più numerosi rinvenimenti dell'avanzata età del bronzo, inclusa la diffusa presenza di ceramica micenea nell'area italiana, e in particolare del bronzo finale con le sue culture del tipo detto « protovillanoviano », nonché dell'età del ferro, e per quest'ultima soprattutto dai risultati degli scavi delle necropoli del Lazio, come d'altro canto dall'esplorazione di siti di primo insediamento coloniale greco come Pitecusa nell'isola d'Ischia e Megara Iblea in Sicilia, derivano sempre nuove prove di strettissime interdipendenze tra i fenomeni delle fasi delle origini nei diversi àmbiti territoriali e culturali dell'Italia protostorica: tali da raccomandarne una considerazione unitaria, anche alla luce dei dati della tradizione antica, dall'autore del presente volume nel saggio *Le origini storiche dei popoli italici* (1955).

Dobbiamo poi considerare tutto il rinnovato fervore di discussioni sul problema dei rapporti tra la Magna Grecia, Roma e l'Etruria – dagli studi di F. Sartori e D. Van Berchem alle relazioni del Convegno di Taranto del 1968 sul tema *La Magna Grecia e Roma nell'età arcaica* e di un incontro scientifico tenutosi a Roma in Campidoglio nel 1977 sul tema *Lazio arcaico e mondo greco* – e più generalmente i molteplici richiami ad una visione unitaria della civiltà arcaica dell'area greco-tirrenica (intendendo con « tirrenica » la fascia costiera dalla Campania al Lazio e all'Etruria) per ciò che concerne lo sviluppo e gli ordinamenti delle città-stato sul modello della *polis* greca, la religione, la vita intellettuale e materiale, i costumi, le correnti artistiche e così via, nel senso della *koiné* del Mazzarino. Al centro di questi problemi si colloca la scoperta delle lamine d'oro inscritte di Pyrgi, che hanno suscitato i più vasti commenti nel campo dell'epigrafia e della linguistica etrusca e semitica e in generale della storia antica, aprendo imprevisti squarci di conoscenza, oltre che sui rapporti esterni del mondo etrusco alla fine dell'età arcaica, anche sui processi e sulle forme istituzionali in Etruria con possibili riferimenti a Roma e alla grecità coloniale. Notevole sviluppo hanno assunto in particolare negli ultimi tempi le ricerche storico-religiose su basi comparative fra culti della Magna Grecia, di Roma e dell'Etruria secondo una linea tracciata, tra gli altri, da G. Pugliese Carratelli; ed anche qui il discorso trova vivo alimento nei dati archeologici, tra cui quelli offerti dagli scavi di Roma (specialmente il tempio arcaico di S. Omobono) e di Lavinio. Una testimonianza singolarmente significativa di comuni orientamenti ideologico-iconografici nella sfera funeraria fra gli Etruschi di Tarquinia e i Greci di Posidonia è stata avvertita nelle pitture della tomba detta del Tuffatore, dei primi decenni del V secolo, scoperta nella necropoli di Paestum. In materia di costumi potrà ricordarsi, più o meno per lo stesso periodo, la corrispondenza, a suo tempo notata da chi scrive, tra una notizia della «cronaca cumana» riportata da Dionisio di Alicarnasso (VII 2 ss.) e la coeva tomba dei Leopardi di Tarquinia a proposito della moda femminile dei capelli biondi, evidentemente diffusa in Etruria e nella colonia greca di Cuma: particolare in sé di minima importanza, ma interessante perché rivelato dalla convergenza di fonti di natura diversa per due ambienti etnici diversi.

Il metodo degli accostamenti fra dati del mondo greco, etrusco e romano è stato utilizzato da Marta Sordi a proposito degli avvenimenti del V e IV secolo nello studio delle interrelazioni fra la conquista romana di Veio, l'invasione gallica e la politica italiana di Dionisio di Siracusa. Esso trova ulteriori sviluppi nella discussione dei problemi sorti da un'altra sensazionale scoperta, quella dei frammenti di iscrizioni latine venute in luce a Tarquinia con biografie di personaggi etruschi della famiglia Spurinna, per la cui collocazione storica M. Torelli nel volume *Elogia Tarquiniensia* (1975) ha richiamato fonti storiografiche greche e romane relative alla spedizione ateniese contro Siracusa alla fine del V secolo e alla guerra romano-tarquiniese della metà del IV secolo, aggiungendo altresì l'ipotesi che di questi Spurinna resti una diretta testimonianza archeologica nella tomba tarquiniese dell'Orco I con le sue iscrizioni etrusche e le sue pitture. Un largo e sistematico impiego della letteratura latina per dare risalto e concretezza alla conoscenza di ambienti, fatti e personaggi etruschi di età ellenistica e romana è infine soprattutto caratteristico dell'opera di J. Heurgon, che ne ha dato acuti e sorprendentemente fruttuosi saggi in diversi articoli e soprattutto nell'ultimo capitolo del libro *La vie quotidienne chez les Etrusques* (1961, ma con un'appendice di aggiornamento nell'ultima ristampa del 1979). Lo stesso Heurgon ha del resto formulato esplicitamente il suo pensiero circa la connessione dei processi storici dei popoli dell'area italica contro il vecchio abito mentale, ereditato dall'antica annalistica, di considerarli distanti, chiusi in se stessi e reciprocamente "impermeabili" (« Entretiens Hardt », 1967).

Un ultimo corollario delle attuali tendenze di revisione critica verso una unitarietà di valutazione dei fenomeni dell'Italia preromana riguarda le espressioni artistiche. Alla tradizionale classificazione che raggruppava rigidamente ed astrattamente i singoli complessi di prodotti figurati, secondo la pregiudiziale etnica, in « arte greca », « arte etrusca », « arte romana », « arte italica » – sovente con l'imbarazzo di adeguare le manifestazioni reali e concrete a questi schemi – si va progressivamente sostituendo un criterio di analisi e di interpretazioni più sfumate che, pur non sottovalutando le tradizioni e le assuefazioni locali, tiene conto della indubbia esistenza di reciproche influenze e di sviluppi comuni non soltanto tra le aree culturali anelleniche ma anche tra queste e la sfera grecocoloniale, nel senso già prospettato da E. Langlotz (dal 1949). La possibilità di delineare entro certi limiti una storia dell'arte del mondo italico considerato nel suo complesso si dimostra in recenti rassegne di sintesi dell'autore del presente volume (1971) e di R. Bianchi Bandinelli (1973), ed è stata ora riaffermata con precisa intenzionalità critica nella impostazione della Mostra « Prima Italia. Arts italiques du premier millénaire avant J.-C. » allestita per gli Europalia di Bruxelles 1980 (poi presentata anche a Roma).

Come recuperare un'immagine storica unitaria del mondo italico.

Quanto esposto dimostra, se non andiamo errati, che è ormai più che matura l'esigenza di una reinterpretazione della materia storica dell'Italia preromana in modo diverso dagl'indirizzi convenzionali non solo di fronte all'esclusivismo romanocentrico di tradizione niebuhriana, ma anche rispetto alla formula corrente di una storia oscillante tra i due "poli" dell'Italia e di Roma e intesa come rievocazione di un mondo italico fatalmente destinato ad unificarsi in mondo romano. Si pone, cioè, il problema di affrontare decisamente lo studio del mondo italico come tale, nel suo proprio quadro cronologico e nelle sue caratteristiche, riconoscendogli un'identità complessiva ed uno svolgimento parallelo a quello del mondo greco durante il corso del I millennio a.C., quale aspetto "regionale" della storia dell'antichità, prima del suo assorbimento – che è comune all'Italia e alla Grecia – nella sfera dell'affermazione universalistica di Roma. Tentare lo svolgimento di questo discorso in una trattazione organica significa riprendere oggi, a distanza di quasi due secoli, il tema proposto dal Micali e rispondere concretamente dopo oltre cinquant'anni all'esortazione del Wilamowitz, rivivificando il filone di un'autentica « storia italica ».

Ben s'intende che per l'attuazione di un cosiffatto programma s'impongono preliminarmente la piena coscienza e la chiara definizione di alcuni criteri d'impostazione e di metodo già in parte enunciati o adombrati negli studi degli ultimi decenni dei quali si è fatta testé menzione, a partire dal Wilamowitz, ma che sembra qui opportuno richiamare ordinatamente riassunti nei punti seguenti:

1. *Dati di conoscenza e processo conoscitivo.* S'intenderanno acquisite e utilizzabili tutte le fonti d'informazione, con il relativo bagaglio di revisione critica, pertinenti alle discipline tradizionali comunque interessanti la materia da trattare, cioè da un lato la storia greca in rapporto all'Italia e la storia romana per l'età regia e repubblicana, da un altro lato la protostoria italica, l'etruscologia, l'archeologia e la linguistica delle altre popolazioni indigene dell'area italiana, senza escludere le loro interferenze con campi di studio estranei all'Italia ma all'Italia in qualche modo ricollegabili. Quanto alla natura delle testi-

monianze è evidente che, proprio in questo specifico settore, conformemente a quanto suggerito e di fatto applicato dagli orientamenti metodologici più moderni, le diverse categorie di fonti, non soltanto storiografiche ma anche archeologiche e linguistiche, dovranno essere considerate sullo stesso piano di validità critica e per così dire in modo equidistante ed « imparziale » (per usare una felice espressione del Devoto) ai fini della tentata ricomposizione del contesto storico.

2. *Prospettiva nel tempo.* Potrebbe sembrare superfluo e perfino ingenuo ricordare che i fatti del passato vanno descritti e interpretati nella loro attualità e nei loro precedenti, e non alla luce di fatti non ancora accaduti. Ma proprio in un giudizio inquinato dalla conoscenza a posteriori della storia rischiano di cadere, istintivamente e più o meno inconsciamente, coloro che, sulla scia di orientamenti del pensiero degli antichi, tendono a spiegare le vicende dell'Italia preromana come un prologo, o addirittura come una premessa necessaria, della grandezza di Roma. In realtà almeno fino agl'inizi del III secolo a.C. il destino di Roma quale protagonista del mondo italico è ancora sub iudice: essa è soltanto un attore, seppure importante, della scena sulla quale recitano con ruolo di protagonisti i Greci, gli Etruschi, gl'Italici di lingua osco-umbra. Ed è precisamente a questa scena che occorrerà riconoscere una consistenza, restituire una dimensione, ricomporre una trama.

3. *Raccordo tra i fatti dello stesso periodo.* È una considerazione che in gran parte sfugge agli schemi della storia concepita in senso "diacronico" come storia dello sviluppo nel tempo, ed in sé conchiusa, di singoli popoli o stati. Ciò che si propone oggi è appunto la rottura di questi schemi attraverso una ricerca sistematica di collegamenti "epocali" o "sincronici", che già si preannunciano così fecondi di risultati nella sperimentazione recente sopra ricordata (Sordi, Heurgon, ecc.): cioè di quelle condizioni co-

muni, di quelle tendenze mimetiche, di quei reciproci riflessi e contraccolpi che debbono inevitabilmente aver caratterizzato i diversi momenti storici in aree contigue e che sono da riscoprire o da porre in più accentuata evidenza. Si dovrà naturalmente compiere un notevole sforzo di logica, e oserei dire di immaginazione, per vincere quelle assuefazioni di mentalità che ci obbligano a "vedere" una fase della storia politica, socio-economica, culturale della Magna Grecia collocata esclusivamente nel contesto evolutivo della grecità, discussa e interpretata criticamente nel quadro delle fonti storiografiche greche o dell'archeologia greca; un problema della storia di Roma di età regia o repubblicana risolvibile solo alla luce della tradizione romana; un aspetto della civiltà etrusca giudicato astrattamente in una sua "etruscità" fuori del tempo e del mondo circostante; un momento culturale di una qualsiasi necropoli laziale, campana, picena, veneta, ecc. studiata limitatamente alle questioni tecniche di tipologia o di cronologia secondo gl'interessi, i procedimenti e le esperienze degli specialisti di archeologia protostorica di quelle regioni. Soltanto cercando di abbattere queste paratìe convenzionali dei nostri studi o di aprire tra loro un'osmosi sarà possibile ricomporre realtà storiche di cui sono rimasti finora inafferrabili, o percepiti solo confusamente, i rapporti fondamentali.

4. *Delineazione di uno sviluppo comune.* Gli accostamenti si estenderanno, oltre che alle singole fasi, anche alla loro successione. Si tratta cioè di considerare la progressione degli eventi dell'Italia preromana in una loro propria prospettiva, fondata sulla logica dei loro nessi spazio-temporali e sul loro particolare significato nel quadro del divenire del mondo antico: una prospettiva comunque diversa da quella della storia greca e della storia romana. È questo ovviamente il compito concettualmente più delicato, dal quale può emergere – e crediamo possa emergere – un positivo, non illusorio disegno di «storia italica». Ed è

questo l'impegno qui affrontato nel proporre l'individuazione di un processo evolutivo generale e conseguente, le cui tappe essenziali (origini, fioritura arcaica, età delle crisi, persistenze in un nuovo ordine), costituiranno la materia dei capitoli di trattazione storica del presente volume.

II.

LE ORIGINI

Impostazione del problema.

Il tema dell'origine dei popoli e delle esperienze storiche del mondo italico ha stimolato in ugual misura la curiosità degli antichi e l'interesse dei moderni. Gli uni e gli altri hanno cercato di darne una spiegazione sulla base delle loro conoscenze, ma soprattutto una spiegazione conforme alla loro mentalità.

Per gli antichi il concetto di origine si identifica con avvenimenti precisi e personalizzati. Furono immaginate generalmente immigrazioni in Italia dal mare, modellate in qualche modo sullo schema delle colonizzazioni greche storiche, ma riferite ad una età eroica e attribuite a popoli diversi moventi da oriente verso occidente come gli Arcadi, i Pelasgi, gli Achei, i Troiani, i Lidi, i Cretesi, gli Iapigi, e ad eroi incivilitori e fondatori di città quali Enotro, Peucezio, Eracle, Minosse, Ulisse, Diomede, Enea, Antenore, Tirreno e così via. Salvo che per alcuni episodi più antichi (arrivo degli Arcadi con Enotro) la maggior parte di questi avvenimenti era collocata intorno ai tempi della guerra di Troia. L'occupazione delle nuove terre era configurata talvolta nel racconto dell'eroe straniero che, dapprima in lotta con le popolazioni indigene, poi finirà con lo sposare la figlia del loro re ed ereditarne il dominio: è il caso di Diomede in Puglia dove era re Dauno e di Enea nel Lazio dove era re Latino. Si ammetteva in sostanza la esistenza di autoctoni e di nuovi arrivati, dalla cui fusione erano destinate a nascere le stirpi storiche. L'origine delle città era pensata come un atto di fondazione volontario e puntualizzato nel tempo, concepito a immagine e somiglianza della fondazione delle colonie greche storiche. Altre migrazioni interne avrebbero poi dato origine, da popoli già formati, ad altre genti: così dagli Enotri dell'Italia meridionale, discendenti degli Arcadi di Enotro, sarebbero sorti gli Aborigeni dell'Italia centrale, e da questi i Latini, sia pure attraverso ulteriori commistioni.

Ben s'intende che queste versioni, estremamente varie, complesse e talvolta persino contraddittorie, hanno il loro fondamento in « racconti antichissimi » *(palaiotatoi mythoi)* che apparivano già avvolti da un alone leggendario e scarsamente credibili agli stessi storici classici. La critica moderna del XIX secolo ne fece giustizia sommaria, relegandoli indiscriminatamente, salvo casi eccezionali, nel mondo delle invenzioni favolose. Eppure noi oggi abbiamo cominciato a sentire che in alcune di queste tradizioni, per quanto deformate, si conservano gli echi di lontane realtà storiche.

La scienza moderna nel momento stesso in cui rifiutava le concezioni degli antichi non ha saputo a sua volta sottrarsi al miraggio delle origini italiche viste come conseguenza di immigrazioni dall'esterno. Ma il profilo è diverso. La suggestione della linguistica comparata che aveva scoperto l'unità originaria delle lingue indoeuropee portò nell'età del positivismo a supporre che tali lingue fossero state diffuse da popolazioni migranti per vie terrestri da un comune territorio primitivo alle loro sedi definitive: che è quanto dire una grande diaspora e filiazione, oltre che degli Arii asiatici dell'India e dell'Iran, di tutta una serie di stirpi protagoniste della storia del Mediterraneo e dell'Europa come gli Hittiti, i Greci, gl'Italici, i Celti, i Germani, gli Slavi. Cosicché il principio della storia italica venne ad essere identificato con la penetrazione degli « Italici » attraverso le Alpi dall'area continentale europea nella pianura padana e nella penisola. Anche su questa visione operò l'influenza di un modello di avvenimenti storici posteriori, cioè della espansione dei Celti nell'Italia preromana e delle invasioni barbariche alla fine del mondo antico.

L'archeologia preistorica – altra grande esperienza della scienza positivistica – sembrò offrire conferme e precisazioni a questa teoria. Si credette di poter riconoscere l'arrivo degl'Italici nell'apparizione della civiltà del bronzo nelle cosiddette terremare (villaggi su palafitte protetti da argini) dell'Italia settentrionale e insieme nel diffondersi del rito funebre della cremazione da nord verso sud: tesi formulata soprattutto da W. Helbig e L. Pigorini (e da quest'ultimo definita generalmente come tesi «pigoriniana»). L'automatica spiegazione dei fatti culturali rivelati dalle scoperte archeologiche come fatti etnico-linguistici era allora un assioma, riassunto nella "legge" di G. Kossinna secondo la quale «ogni provincia culturale, anche la più ristretta, deve significare una stirpe distinta»; essa contribuì largamente all'elaborarsi di schemi ricostruttivi ingegnosi, ma sovente semplicistici e affermati con rigido dogmatismo, che si rivelarono poi inconsistenti.

L'idea della indoeuropeizzazione dell'Italia primitiva attraverso invasioni, che si presumevano dimostrabili anche archeologicamente, come fatto essenziale del suo primo costituirsi storico, ha avuto soprattutto nel corso del nostro secolo sviluppi, chiarimenti, articolazioni conseguenti al progresso degli studi linguistici e al moltiplicarsi delle scoperte. Si è riconosciuto ad esempio che le diverse lingue indoeuropee parlate in Italia in epoca storica, e cioè il latino, l'osco-umbro, il venetico, il messapico, non possono considerarsi derivate da un ipotetico «italico comune», presentando tra l'altro connessioni indipendenti con altre lingue indoeuropee estranee all'Italia. A loro volta gli archeologi hanno creduto logico spiegare i cambiamenti di culture della preistoria più recente dal neolitico all'età del bronzo e all'età del ferro con successivi movimenti di popoli da territori che sembravano offrire fenomeni affini a quelli italiani (per esempio le culture neolitiche dei vasi a bocca quadrata o delle asce da guerra, le ceramica a decorazione meandro-spiralica, i « campi d'urne », ecc.) con particolare riferimento all'Europa centro-orientale considerata la principale area di diffusione degl'Indoeuropei; né sono mancati tentativi di identificare più sottilmente e puntigliosamente singole innovazioni culturali con l'avvento di singole stirpi (è il caso dello storico L. Pareti che voleva riconoscere nei crematori del bronzo finale, del cosiddetto « protovillanoviano », gli antenati degl'Italici orientali di lingua osco-umbra).

All'evento unico della immigrazione degli « Italici » si sostituivano tante immigrazioni successive. Ma il principio interpretativo restava lo stesso: quello dell'inizio di un ciclo storico riportato ad uno o più eventi ben definiti, nella fattispecie all'avvento di gruppi etnici in certo senso precostituiti dalle loro sedi continentali, così come per gli etnografi antichi questo punto di partenza era stato ravvisato in immigrazioni trasmarine dal Mediterraneo orientale. È curioso che soltanto per gli Etruschi – a parte, ben s'intende, il fenomeno reale e storico della colonizzazione greca – si preferì generalmente dar credito alla tradizione classica di una provenienza per via di mare dall'Oriente (accogliendo la loro identificazione con i Lidi guidati da Tirreno o con i Pelasgi): e ciò per il loro relativo isolamento linguistico e per altre singolarità da cui, a ragione o a torto, si fece derivare una loro contrapposizione agl'Italici indoeuropei.

L'ingente e accelerato progresso delle conoscenze archeologiche, linguistiche e storiche nel corso degli ultimi decenni, mettendo in luce dati di fatto nuovi, assai più complessi, sovente in contrasto con le ipotesi correnti, aprendo la strada ai dubbi, additando prospettive critiche diverse ed insospettate, ha praticamente messo in crisi la concezione etnogenetica accreditata dal positivismo sia sul piano del metodo sia su quello dei risultati. La rivelazione delle evolute, raffinate, durevoli culture neolitiche ed eneolitiche del Mezzogiorno d'Italia e delle isole, della civiltà del bronzo detta appenninica estesa sull'intera penisola (rispetto alla quale le famose terremare si ridimensionano in un fenomeno marginale e cronologicamente secondario), dei cospicui ripetuti apporti marittimi dall'Oriente mediterraneo culminanti nella presenza commerciale e forse anche in parte coloniale micenea in Puglia e intorno alla Sicilia, con estensioni lungo le coste tirreniche e in Sardegna, della presenza della cremazione nell'Italia meridionale non più tardi che in quella settentrionale, ha di fatto capovolto interamente l'immagine di un'Italia primitiva popolata e incivilita dal nord, dimostrando invece l'importanza e l'antichità dei progressi locali nella penisola e nelle isole e la funzione rilevante dei contatti e degl'influssi mediterranei. D'altra parte i linguisti avevano indirizzato le loro ricerche sui substrati, cioè sui problemi delle lingue parlate dagli abitatori dell'Italia prima della diffusione delle lingue indoeuropee, studiandone i relitti nella toponomastica – essendo i nomi di luogo tenacemente conservatori – e nei riflessi soprattutto nel vocabolario degl'idiomi sovrapposti, e rilevandone la varietà, lo spessore, i rapporti con altre aree estranee all'Italia; mentre le stesse lingue italiche indoeuropee conosciute storicamente si sono andate a poco a poco rivelando formazioni tardive, frutto di una lunga e complicata gestazione di sviluppi, di sovrapposizioni, d'incroci (tra diversi filoni indoeuropei ed anche con i substrati), di innovazioni comuni, avvenuta già in gran parte nell'area territoriale italiana e prima dell'inizio dei tempi storici.

Una delle prime conseguenze di questo dilatarsi e trasformarsi di prospettive fu la reazione all'invasionismo, e cioè l'importanza data, nella ricerca sulle origini, ai fattori etnici e culturali autoctoni considerati, in contrasto con i fattori esterni, come elementi determinanti delle future esperienze del mondo italico. Questo orientamento prevalse specialmente nel periodo tra le due ultime grandi guerre, e ne fu principale assertore G. Patroni. La sostituzione delle lingue indoeuropee ai preesistenti strati linguistici e l'adozione di altri impulsi innovatori furono attribuite principalmente a fatti di assorbimento progressivo ed essenzialmente pacifico di impulsi extraitalici senza notevoli alterazioni della popolazione originaria. È interessante notare che analoghi concetti autoctonistici sono prevalsi più o meno contemporaneamente anche a proposito del problema dell'origine degli Etruschi, contro la tesi tradizionale della provenienza orientale o l'opinione degli assertori della loro discesa dal Nord, richiamando in qualche modo il punto di vista dell'antico storico Dionisio d'Alicarnasso (I 30); la differenza tra la lingua etrusca e le lingue italiche indoeuropee fu spiegata, da G. Devoto e da altri, come la sopravvivenza fino ad età storica di un relitto di substrato preindoeuropeo piuttosto che come una posteriore intrusione esotica.

Prescindendo da queste più estreme punte polemiche contro i "dogmi" della genesi dall'esterno, in tutta la varietà delle opinioni emerse dagli studi più recenti – affrontati sotto diversi aspetti, tra gli altri, da F. Altheim, G. Devoto, A. Furumark, C.F. Hawkes, H. Hencken, G. Kaschnitz-Weinberg, P. Laviosa Zambotti, R. Peroni e, complessivamente in un saggio specifico, dall'autore del presente volume – si avverte una presa di coscienza del problema delle origini italiche meno perentoria ed assai più ricca di sfumature.

La dovizia, la molteplicità, la complessità delle testimonianze utilizzabili ci inducono oggi a superare una scelta o una contrapposizione fra immigrazioni marittime e immigrazioni terrestri, fra invasionismo e autoctonismo; ed a preferire ipotesi più possibilistiche che non escludano "precolonizzazioni" trasmarine, movimenti terrestri di genti più o meno numerose o di gruppi isolati, assorbimenti di elementi stranieri, contatti commerciali e culturali sia attraverso le vie continentali del settentrione, sia attraverso l'Adriatico, sia con navigazioni costiere lungo quelle rotte mediterranee che erano state seguite sin dall'inizio del neolitico, e in pari tempo contemplino continuità, elaborazioni, trasformazioni delle culture e delle popolazioni locali. La chiave per risolvere in senso pluralistico il problema degli elementi formativi del mondo italico sta essenzialmente nella considerazione, troppo spesso trascurata, del « fattore tempo », cioè di una prospettiva in profondità che presupponga una lunghissima e varia successione di vicende e di sviluppi (come insegna l'analogia del millenario costituirsi dell'Europa moderna), contro l'istintiva tendenza ad appiattire e semplificare questi processi nella figura astratta di un singolo motivo o fenomeno o accadimento. Sta qui la misura di una diversa mentalità, più sensibile ai valori della storia, che si contrappone – o dovrebbe contrapporsi – alla mentalità degli antichi e degli studiosi moderni delle passate generazioni.

Si aggiunga l'esigenza di sottrarre il problema delle origini italiche dal suo isolamento di ricerca circoscritta ad una particolare area geografica, sostanzialmente chiusa nella sfera degl'interessi degli studiosi di preistoria o dei linguisti e impostata quasi esclusivamente come ricerca di etnogenesi, per tentarne invece un più ampio e concreto inserimento nel quadro storico delle antiche civiltà mediterranee. Questo proposito trova la sua giustificazione soprattutto nel prodigioso dilatarsi delle nostre conoscenze – conseguente alle scoperte dell'Egeo e del Vicino Oriente – sulle situazioni e sugli eventi del Mediterraneo orientale durante quei tempi nei quali venivano maturandosi le premesse della futura storia italica. Non si tratta soltanto di constatare e interpretare le molteplici influenze orientali sul suolo italiano delle quali si è già fatto cenno. Si tratta anche di accettare in principio la possibilità che i grandi fatti dell'Oriente, direttamente o con i loro contraccolpi, abbiano concorso in modo determinante al costituirsi di certe fondamentali strutture dell'Italia storica: ciò che è ipotesi probabile, ad esempio, per quel che riguarda l'età della grande espansione micenea e le congiunture di recessione e di agitazione della fine dell'età del bronzo, con tutte le loro concomitanze e conseguenze mediterranee ed europee; ma diventa poi alla fine una realtà più che evidente con la colonizzazione greca. In questa prospettiva sembrano legittime da un lato una cauta utilizzazione di fonti storiche orientali (a proposito dei possibili rapporti dei nomi dei cosiddetti « Popoli del mare » con i nomi di popolazioni dell'area italiana), da un altro lato una rivalutazione dei racconti leggendari della tradizione greca sui legami tra l'Italia primitiva e il mondo egeo come non trascurabili indizi – se non come vere e proprie fonti storiche – accanto ai dati archeologici e linguistici.

La constatata molteplicità dei fattori, il senso della profondità temporale, la ricerca di un'ambientazione storica sono alla base dei criteri d'impostazione della discussione sulle origini che tendono a prevalere attualmente e che crediamo debbano prevalere. Al concetto di "inizio" puntualizzato nel tempo si sostituisce quello di "formazione" distribuita nel tempo. Si esclude un chimerico "punto di partenza" contenente deterministicamente in potenza tutti gli sviluppi futuri, riportato indietro nel tempo e identificato vuoi con immigrazioni vuoi con gli strati autoctoni. Parleremo se mai piuttosto di un "punto di arrivo", cioè di un momento di coagulazione finale dei processi formativi dei fenomeni etnici e culturali, nel senso già indicato da U. Rellini proprio a proposito della nascita dei popoli italici: « l'ethnos è fenomeno di lenta e tarda elaborazione ». Né ci sembra ormai più ragionevole far risalire, ad esempio, una nazione e una civiltà latina o etrusca più indietro di quel "punto di arrivo" cercandole in tempi o in luoghi lontani (come talvolta si è fatto): così come nessuno storico del mondo moderno commetterebbe la ingenuità di identificare ante litteram la nazione e la civiltà francese con i Celti, con la Gallia romana o con i Franchi, i Visigoti, i Burgundi, i Normanni.

Lo studio delle origini dell'Italia storica si presenta dunque, nella prospettiva odierna, con due compiti distinti seppure intimamente collegati fra loro: da un lato come ricerca ed analisi degli elementi formativi, etnici, linguistici, culturali, indigeni e di provenienza esterna, remoti o più ravvicinati, che convergono nella elaborazione preistorica; da un altro lato come individuazione e interpretazione – nei modi, nei luoghi, nel tempo – dei processi di definizione storica conclusiva.

Occorre naturalmente tener presente la differenza fondamentale che esiste tra l'Italia e la Grecia, nel senso che quest'ultima ci appare sin dall'inizio dei tempi storici con una sua fisionomia etnica sostanzialmente unitaria, mentre l'Italia presenta un intricato mosaico di stirpi e di lingue. Perciò lo studio dei primordi della storia greca equivale di fatto allo studio delle origini del popolo greco. Viceversa per l'Italia noi dovremmo esser tenuti a perseguire una serie di distinte indagini etnogenetiche, riferite a ciascuno dei suoi gruppi, come gli Etruschi, i Latini, gl'Italici di lingua osco-umbra, gli Apuli, i Veneti, i Liguri, ecc. (a parte i Greci stessi e i Celti di origine storicamente più controllabile). Tuttavia l'eccessivo isolamento settoriale di questi obiettivi, come se si trattasse di problemi assolutamente autonomi (specialmente per quel che riguarda l'origine degli Etruschi rispetto a quella dei popoli dell'Italia indoeuropea), ha nociuto alla loro retta impostazione e al loro progresso. Dobbiamo infatti sempre più fondatamente supporre l'esistenza di numerose e profonde interdipendenze tra gli elementi costitutivi di queste stirpi, come attestano tra l'altro in sede linguistica le commistioni lessicali e talune peculiarità fonetiche comuni, oltreché un intreccio dei fatti che portarono al loro definitivo stabilizzarsi storico.

Va infine considerato che l'inizio della storia dell'Italia antica non si esaurisce nell'inizio dei suoi popoli, cioè in un fatto di etnogenesi in senso stretto, ma riguarda anche aspetti di organizzazione sociale e politica, di forme di insediamento, di vita, di produzione, nonché di religiosità, di mentalità, di gusto e di tradizione artistica e così via, i quali possono ritenersi – e di fatto entro certi limiti si rivelano – comuni a popoli diversi, quale che sia la loro origine, anche per il fatto che essi si formarono e convissero ab antiquo in un àmbito geografico delimitato e relativamente ristretto quale è quello della regione italiana e in particolare di alcune sue zone. Lo studio delle origini investe dunque non soltanto la formazione delle singole nazionalità storiche, ma tutto l'insieme dei motivi di civiltà che furono loro espressione.

Analisi degli elementi formativi: il quadro archeologico.

Sembra in verità ozioso domandarci se, o fino a che punto, la fisionomia dell'Italia antica sarebbe stata diversa senza i precedenti dell'antichissimo imponente sviluppo dei centri preistorici del Mezzogiorno, specialmente della Puglia, della Basilicata e della Sicilia, durato millenni a partire dagl'inizi dell'età neolitica fino alle soglie dei tempi della colonizzazione greca. Sta però di fatto che questo fenomeno – la cui rivelazione è relativamente recente e ancora in atto – qualifica un'area geografica che sarà anche più tardi, appunto con la colonizzazione greca, all'avanguardia del progresso; accoglie e ridiffonde elementi delle grandi correnti incivilitrici provenienti per mare dal mondo egeo-anatolico; partecipa anzi esso stesso alla elaborazione creatrice mediterranea, con prodotti di raffinatezza tecnica e decorativa non inferiore a quella dei modelli orientali (si pensi alla ceramica dipinta neolitica dello stile di Serra d'Alto); attesta la presenza di stabili e prosperosi insediamenti tendenti ad assumere il carattere di veri e propri aggregati protourbani (si pensi a Coppa Nevigata in Puglia o al Castello di Lipari nelle Isole Eolie); fa presumere l'esistenza di una evoluta economia agricola e produzione artigianale, di notevoli articolazioni sociali, di consistenti organizzazioni politiche, di durevoli tradizioni e memorie; si integra infine nella grande espansione micenea della media e tarda età del bronzo che ne interessa quasi tutta l'area. Cosicché è difficile immaginare che questi fatti siano stati privi di conseguenze storiche determinanti.

Il panorama preistorico dell'Italia centrale e settentrionale è assai meno vivacemente caratterizzato. Le sue manifestazioni e successioni di culture appartengono ad un livello più simile a quello generale europeo; gli aggregati stabili non oltrepassano il limite dei villaggi, di capanne e baracche o, in zone lacustri e fluviali, su palafitte: solo verso la fine dell'età del bronzo si moltiplicheranno e si addenseranno specialmente in altura; all'economia agricola fa riscontro, in larghe parti dell'interno della penisola, la pastorizia, strettamente collegata con lo sviluppo e la diffusione della civiltà del bronzo appenninica. Si è già accennato ad un ripetuto afflusso di elementi europeo-continentali, che sembra richiamare soprattutto alle aree danubiana e balcanica per diversi aspetti più avanzate di quella italiana (eccettuato naturalmente il Sud) e indicare anche una via di trasmissione attraverso il Mare Adriatico: complessi fenomeni che si avvertono già dal neolitico, ma scendono fino alla tarda età del bronzo e all'età del ferro, con fogge e decorazioni ceramiche, tipi di manufatti metallici, ecc.; più rare le influenze dell'Europa occidentale, come la diffusione in età eneolitica dei cosiddetti bicchieri a campana (presenti anche in Sardegna e in Sicilia). Della religione, dei costumi, delle tendenze figurative degli abitatori dell'Italia primitiva nella preistoria meno remota sono testimonianze da un lato le figurazioni incise su rocce di Monte Bego nelle Alpi Marittime e della Valcamonica nelle Alpi Centrali, da un altro lato le stele antropomorfe o statue-menhir della Corsica, della Lunigiana, delle valli alpine ed anche della Puglia:

motivi senza dubbio legati ad espressioni più remote della preistoria europea, ma non privi di derivazioni di età storica come è il caso delle stele funerarie tosco-emiliane e pugliesi.

Un fatto saliente che per novità, per la massiccia diffusione europea e per la portata delle sue eredità in Italia, per le caratteristiche con cui ci si presenta può far pensare a vicende interessanti la formazione delle strutture storiche del mondo italico è senza dubbio l'apparire e il diffondersi del rito della cremazione dei morti. Esso trova rispondenza nella civiltà detta dei campi d'urne *(Urnenfelder)* dell'Europa continentale e penetra nella tarda età del bronzo nell'Italia settentrionale in parziale concomitanza con la cultura delle terremare; ma più o meno contemporaneamente appare anche nel sud della penisola (un sepolcreto di Canosa in Puglia parrebbe anzi dimostrarne la presenza fin dalla media età del bronzo). La massima espansione geografica della cremazione nell'area italiana, dalle Alpi alla punta nord-orientale della Sicilia, si ha nella fase finale dell'età del bronzo con le necropoli dette « protovillanoviane », tra le più caratteristiche delle quali ricordiamo quelle di Ascona nel Canton Ticino, di Fontanella Mantovana in Lombardia, di Bismantova in Emilia, della Valle del Fiora e dei Monti della Tolfa in Etruria, di Pianello di Genga nelle Marche, di Tìmmari e Torre Castelluccia in Puglia, di Tropea in Calabria, di Milazzo in Sicilia. Questa fase, attestata anche da abitati e ripostigli di metalli, si presenta con fermenti innovatori e con aspetti culturali piuttosto evoluti. Nella successiva età del ferro il rito crematorio subirà un regresso manifestandosi saldamente radicato soltanto nell'Italia centrale tirrenica e nell'Italia settentrionale. Il problema se la cremazione appartenga almeno inizialmente a determinate genti immigrate che l'avrebbero introdotta in Italia, e a quali, o sia da ascrivere soprattutto al propagarsi di particolari concezioni religiose o sollecitazioni culturali, ovvero – come è più probabile – la sua diffusione risponda a cause molteplici e diverse a seconda dei tempi e delle circostanze, costituisce uno dei principali interrogativi della protostoria italiana, rimasto finora senza risposta.

I dati archeologici non possono ovviamente offrirci che una testimonianza esteriore, muta e parziale – anche se immediata ed autentica – degli avvenimenti reali. Comunque essi valgono a mostrarci le tradizioni e le correnti di cultura che precedono, preparano e probabilmente, almeno entro certi limiti, determinano il costituirsi delle forme di civiltà dell'Italia storica; forniscono alcune preziose indicazioni dirette e indirette sulle condizioni delle società preistoriche, sui loro progressi e regressi e sui reciproci rapporti; soprattutto ne garantiscono una sicura trama cronologica. Prescindendo dalle incertezze e dalle controversie sui particolari noi possiamo infatti situare con sufficiente precisione in un loro ordine successivo nel tempo (cronologia relativa), e perfino con approssimazione datare (cronologia assoluta), i fatti della preistoria italiana più recente, secondo lo schema che segue: neolitico (dal VI-V millennio? fino al III millennio); prima età dei metalli o eneolitico e antica età del bronzo (dal III millennio ai primi secoli del II millennio); media età del bronzo, con la civiltà appenninica e le prime influenze micenee (XVI-XIV secolo); tarda età del bronzo con una prima fase caratterizzata dalla civiltà subappenninica e dalla massima influenza micenea (XIII-XII secolo) e una fase finale con la diffusione della cremazione e l'aspetto culturale detto protovillanoviano (fine del XII-inizio del IX secolo); principio delle culture dell'età del ferro (a partire dal IX secolo).

Entro questa trama e su questo sfondo di caratteri e di vicende di cultura materiale, cioè positivamente controllabile nei resti materiali, debbono immaginarsi tutti i fatti, in gran parte oscuri, relativi alla natura e alle attività dei gruppi e delle comunità, ai loro contatti e conflitti, alle migrazioni, alle commistioni, al formarsi o al dissolversi di nuclei etnici, alla mentalità, alle credenze, alle tradizioni e alla diffusione di nuove idee, e così via. Ma è evidente che la sola guida della cultura materiale non è sufficiente a ricreare una realtà e può essere in molti casi addirittura fuorviante, come è avvenuto non di rado in passato. Occorre perciò anche avvalerci delle testimonianze indirette, e per così dire retrospettive, che provengono dallo studio delle lingue, oltre che dal prudente vaglio critico nelle tradizioni letterarie.

Penetrazione e diffusione delle lingue indoeuropee.

La indoeuropeizzazione dell'Italia, processo fondamentale e non minimizzabile, va considerata nella profondità della prospettiva temporale sopra rilevata. Ma essa era in atto ancora nel corso dei tempi storici (si completerà, anzi, soltanto con la romanizzazione, cioè con il trionfo del latino sulle residue lingue non indoeuropee, come era, sostanzialmente, l'etrusco); e pertanto non può identificarsi con un problema esclusivo delle origini o addirittura con "il problema" delle origini. Si tratta in verità di un fenomeno che rientra in prospettive assai più ampie, che trascendono la storia dell'Italia antica e la stessa storia dell'antichità.

Per quel che riguarda la preistoria italiana non sembra che possa esservi alcun dubbio che le lingue indoeuropee non sono proprie delle popolazioni più antiche di queste terre, ma furono introdotte dall'esterno e pertanto precedute da altri idiomi di natura diversa per i quali i linguisti, come già sappiamo, usano il termine di « substrato » o « substrati ». Si è già anche accennato al fatto che la conoscenza degl'idiomi preindoeuropei dipende essenzialmente dai relitti toponomastici e lessicali, risultando pertanto estremamente limitata ed incerta: ciò che tuttavia non esclude qualche possibilità di raffronto con altre aree di substrato estranee all'Italia, mediterranee ed europee. Gli studiosi hanno anche tentato qualche proposta di raggruppamenti, per altro piuttosto vaghi ed opinabili, parlando di ispano-caucasico (o basco-caucasico), paleoeuropeo, egeo-asianico, reto-tirrenico, ecc.; i loro rapporti sarebbero di successione nel tempo o di coesistenza nello spazio: per esempio l'ispano-caucasico, appartenente ad una stratificazione remotissima, nell'area italiana sopravviverebbe soltanto in occidente con particolare riguardo all'isola della Sardegna, mentre l'egeo-asianico caratterizzerebbe una fase più recente dei substrati della penisola, forse anche al limite e oltre il limite delle prime penetrazioni indoeuropee (si considerino gli esempi tipici dei nomi in *-nt-* come Surrentum o in *-s(s)a* come Temesa o Suessa, e gli elementi lessicali di una certa sfera, specialmente naturalistica, comuni al greco e al latino, cioè passati dal substrato in greco e in latino, come λείριον: *lilium*, e σῦκον: *ficus*). Non può trascurarsi a quest'ultimo proposito l'intensità di rapporti culturali attestati archeologicamente con il Mediterraneo orientale nel neolitico e nell'età del bronzo, per cui si è parlato di vere e proprie "colonizzazioni" preistoriche delle coste italiane e della Sicilia. Né escludiamo che in tale prospettiva sia da rivedere lo stesso problema dell'origine della lingua etrusca come si dirà più avanti.

Premessa l'esistenza di un sottofondo etnico e linguistico non indoeuropeo radicato nella più lontana preistoria, dovremmo ora domandarci come e quando sia avvenuta l'introduzione delle lingue indoeuropee che caratterizzano in modo così spiccato l'etnografia dell'Italia storica. Se la patria d'origine del gruppo linguistico indoeuropeo va collocata secondo l'opinione corrente tra l'Europa centro-orientale e i margini dell'Asia centrale, evidentemente l'approccio di questo tipo di linguaggi all'Italia deve essere stato dall'area danubiano-balcanica. L'archeologia preistorica ci segnala influenze da quest'area fin dal neolitico come sappiamo. Che la trasmissione linguistica sia stata provocata da concreti spostamenti di uomini e di gruppi che ne furono "portatori", è assolutamente fuori discussione; ed è presumibile che essi siano stati in qualche misura portatori anche di innovazioni culturali. Ma non si può pretendere di specificare i tramiti, le circostanze, le successioni e la portata di simili trasmissioni. Quel che si può dire è che la direzione da nord-est a sud-ovest dei movimenti comporta per via terrestre un passaggio delle Alpi Orientali e per via marittima, lungo un fronte di gran lunga più esteso, la traversata dell'Adriatico. Nel grandioso quadro di pressioni e di spostamenti che debbono aver caratterizzato l'avanzata continentale dell'indoeuropeismo si inseriscono logicamente le spinte alle quali è lecito attribuire la trasmigrazione di nuclei etnici o anche di piccoli gruppi isolati in Italia, con lento dilagare o anche – perché no? – attraverso subitanee imprese di conquista; ma tutto questo estremamente diluito nel tempo, in una sorta di lunga inarrestabile progressione. La grande estensione territoriale delle lingue indoeuropee in Italia agli albori dei tempi storici e il grado di evoluzione interna di queste lingue (inclusi i loro reciproci rapporti e le reazioni dei substrati) denunciano infatti con incontrastabile evidenza che l'inizio della loro presenza nell'area italiana deve risalire a molti molti secoli prima dei più antichi documenti scritti, cioè indietro nella preistoria anche oltre l'età del bronzo fino all'eneolitico se non addirittura al neolitico. D'altra parte il processo deve esser continuato ancora ai limiti e oltre i limiti del passaggio ai tempi storici, se fra le sue ultime manifestazioni si può collocare l'introduzione dei dialetti indoeuropei dei Celti nella pianura padana. Né saremmo alieni dal porre nel conto del grande fenomeno dell'indoeuropeizzazione dell'Italia, visto nel suo complesso, la stessa colonizzazione greca.

Consideriamo ora più particolarmente – sempre ai fini dell'indagine sulle origini – i singoli diversi tipi linguistici indoeuropei storicamente controllabili in Italia per quel che riguarda le loro caratteristiche e la loro distribuzione territoriale. Giova tener presente – e già se ne è fatto un fugace accenno – che le grandi lingue storiche, latino, osco-umbro, venetico, messapico, sono il risultato di un profondo processo formativo, diremmo di assestamento, nel quale si ha ragione di ritenere che siano venuti a convergere filoni linguistici in parte scomparsi, reciproche interferenze, elementi dei substrati preindoeuropei. Ciò nonostante è possibile distinguere una certa struttura che ne rende possibile, sia pure limitatamente e tentativamente, una collocazione nel quadro dei rapporti tra le varie unità linguistiche dell'area indoeuropea occidentale: ci riferiamo alle opinioni correnti sugli aspetti periferici e arcaici del latino; sui caratteri più "centrali" ed evoluti dell'osco-umbro che sembrano in parte ravvicinarlo al celtico brittonico e al greco; sui rapporti del venetico con il latino e il germanico; sulle affinità onomastiche e linguistiche del messapico con un àmbito territoriale balcanico storicamente definibile ad oriente come tracio e ad occidente come illirico (incluso l'albanese moderno). La posizione delle lingue storiche corrisponde abbastanza significativamente a questo loro supposto inquadramento genetico. Il latino appare infatti nell'Italia tirrenica come un'estrema punta dell'indoeuropeismo, del quale potrebbe rappresentare una prima ondata particolarmente antica sospinta verso occidente da altri impulsi innovatori; a tale più remota stratificazione peninsulare farebbe riscontro nel settentrione l'accantonamento del venetico non senza contatti transalpini; mentre la progressione a ventaglio dei dialetti del gruppo osco-umbro, o italico orientale, dal versante medio-adriatico verso l'Italia centrale e meridionale sarebbe da intendere come una seconda più recente ondata indoeuropea penetrata nell'area italiana; ovvio ed ancora fresco rivelandosi infine il legame del messapico di Puglia con la contrapposta sponda illirica.

Così prospettato riassuntivamente il panorama dell'indoeuropeizzazione dell'Italia si potrà tentare qualche ulteriore precisazione, ben s'intende a titolo di ipotesi. È probabile che i primi nuclei di innovazione linguistica si siano venuti affermando di preferenza nei floridi centri preistorici dell'Italia sud-orientale, dove essi ebbero una possibilità di consolidarsi nel tempo e quindi avviarsi a diffondersi nel resto della penisola: non ci si può nascondere che, accettando una cosiffatta prospettiva, sarebbero in qualche modo rovesciate le idee tradizionali di una discesa originaria dei parlanti indoeuropei da nord verso sud. Ma la tesi di una penetrazione meridionale riguarda essenzialmente quella prima ondata, di cui si è detto, che avrà come esito terminale il latino, e alla quale dovevano appartenere altri dialetti perduti o isolati, come, a quanto sembra, il siculo storico: cioè lo strato che F. Ribezzo definì « ausonico » e G. Devoto chiamò « protolatino », e che meglio diremmo « italico occidentale ». In verità non si può del tutto escludere che anche questi primi agganci linguistici indoeuropei siano entrati in Italia lungo il litorale adriatico e per via terrestre nel Nord, come sembrerebbe far presumere il venetico. Quel che è più probabile è che la via marittima medio-adriatica sia stata il tramite della penetrazione della seconda grande ondata linguistica, quella osco-umbra o « italica orientale » o, come altri preferisce, « italica » tout court, la cui diffusione verso l'occidente tirrenico e verso l'Italia meridionale è ancora pienamente in atto in età storica come vedremo. Vicino ai tempi storici, probabilmente nel corso dell'età del bronzo, si colloca infine l'« illirizzazione » della Puglia dalla quale deriva la lingua messapica.

Un'ultima, ma credo importante, osservazione. È da ritenere indubbio che l'introduzione delle lingue indoeuropee, pur implicando l'arrivo in Italia di nuove genti, non abbia determinato nel suo complesso una sommersione e un annientamento, e neppure una profonda alterazione, della popolazione preesistente. Lo dimostrano da un lato la generale continuità delle culture e degl'insediamenti preistorici, da un altro lato più specificamente, proprio nella sfera delle considerazioni linguistiche, quella consistente reazione dei substrati all'imporsi delle nuove parlate, di cui si è già fatto cenno, e che si manifesta specialmente nell'accoglimento di un grande numero di termini preindoeuropei nel vocabolario delle lingue indoeuropee documentate storicamente, con particolare riguardo al latino: segno di lunga convivenza e di progressiva fusione tra comunità locali e gruppi immigrati. D'altra parte quei settori dell'area italiana che non furono indoeuropeizzati – e che andavano via via restringendosi con l'avanzata dell'indoeuropeismo (diremmo, all'inizio dei tempi storici, sia pure dubitativamente, l'area tosco-ligure e le isole esclusa la Sicilia orientale) – subirono probabilmente anch'essi influenze indoeuropee, talvolta profonde, come è il caso dell'etrusco.

Le tradizioni eroiche e gli elementi per una storicizzazione dei fatti determinanti della tarda età del bronzo.

Se vogliamo tentare di dare una concretezza storica, e per così dire una dimensione umana, ai dati fin qui raccolti ed esposti, possiamo rivolgerci, con ogni prudenza e riserva, ai racconti della tradizione letteraria antica per quanto essa ricorda dei tempi e dei luoghi in discorso. La lontananza di queste fonti dalle cose narrate, il loro carattere essenzialmente mitico, le arbitrarie illazioni erudite degli storici ed etnografi classici contribuirono a togliere loro ogni credibilità; ma la critica moderna più recente appare meno recisa nell'escludere la possibilità che qualche memoria di avvenimenti reali riecheggi nelle leggende o sia pervenuta alla storiografia e alla etnografia greca attraverso notizie tramandate oralmente. Ciò che oggi è ammesso largamente e con certezza per la protostoria greca del II millennio a.C. non dovrebbe ritenersi improbabile per il mondo della protostoria italiana ad essa contemporanea, considerando anche le già prospettate reciproche interdipendenze.

Un aspetto di tali possibili testimonianze riguarda il modo di concepire l'approdo di singoli navigatori o di gruppi sulle coste italiane, e i rapporti fra la popolazione locale e gl'immigrati. Abbiamo già ricordato al principio di questo capitolo lo schema ricorrente di eroi stranieri che si impongono per il loro valore, ottengono la fiducia del re del paese, ne sposano la figlia, acquistano prestigio e diritti, conquistano territori, fondano città. È questa un'immagine romanzesca di quella che può essere stata una realtà plausibile, non del tutto priva di analogie nel campo storico ed etnologico, per quel che concerne approdi con stabili stanziamenti di genti di provenienza trasmarina con le loro lingue e le loro tradizioni. Ma i racconti tradizionali ci parlano anche delle popolazioni formate e stanziate entro l'area italiana e dei loro spostamenti, con notazioni non meno interessanti ai fini di un certo recupero di dati storicamente utilizzabili. La materia è dispersa in un grande numero di fonti superstiti della letteratura greca e latina; ma ancora più importanti dovevano essere gli scritti perduti, specialmente della storiografia siceliota, cioè dei Greci di Sicilia (Antioco, Filisto, Timeo di Taormina). Una linea di progressione cronologica dei fatti leggendari si trova utilmente riassunta nel primo libro delle *Antichità romane* di Dionisio d'Alicarnasso, storico di età augustea.

Prendiamo ora in considerazione alcuni dati o serie di dati di maggior rilievo. Le prime notizie riguardano l'immigrazione trasmarina degli Arcadi nell'Italia meridionale diciassette generazioni prima della guerra di Troia (cioè, per noi, intorno al XVIII o XVII secolo a.C.) e sull'espansione dei loro discendenti in tutta l'estremità della penisola, da un lato verso il litorale tirrenico e la Sicilia, da un altro lato verso le zone appenniniche centrali. Con il loro mitico condottiero e re eponimo Enotro questi immigrati furono chiamati Enotri (*Oinotroi*, che è nome probabilmente anche esso fittizio, connesso con il vino, *oinos*, come fittizia è la loro origine greca arcadica); dal vasto territorio che essi occuparono derivò all'Italia, come sinonimo, la denominazione di Enotria. Agli Enotri furono collegati, con un complicato intrico di identificazioni e di discendenze, i popoli dei

Chones, degl'Itali, dei Morgeti, dei Siculi, degli Ausoni (si notino le corrispondenti figure mitiche dei re Italo, Morgete, Siculo, Auson), ai quali era attribuito il popolamento di gran parte dell'Italia meridionale e della Sicilia. D'altra parte dagli Enotri spintisi verso il nord sarebbero derivati gli Aborigeni, e da questi i Latini. Quale che sia la natura favolosa dei racconti sull'antichissima penetrazione enotria non si può trascurare il fatto che essa coincide cronologicamente con una fase di spiccate influenze culturali balcaniche ed egee quale è quella della prima età del bronzo italiana. Ma soprattutto sarà da pensare, nella sfera linguistica, ad una coincidenza con la penetrazione e la diffusione della più antica ondata di idiomi indoeuropei di cui sopra si è parlato, si voglia essa definire ausonia o protolatina.

La tradizione si arricchisce e si fa ancora più interessante con le notizie secondo le quali gli Ausoni sarebbero stati scacciati dalla Puglia e sospinti verso occidente dalla immigrazione degli Iapigi di origine transadriatica. Il primo dato che ne ricaviamo è l'implicita notazione che il territorio degli Ausoni si estendeva originariamente dall'estremità sud-orientale dell'Italia alla Campania dove sono ricordati storicamente insieme con gli Opici e al Lazio meridionale dove appaiono con il nome latinizzato di Aurunci, e fin nelle Isole Eolie con la conquista di Liparo figlio di Auson: cioè praticamente su tutta l'area altrimenti attribuita agli Enotri (e si ricordi che l'Italia fu detta, oltre che Enotria, anche Ausonia). L'altro rilievo è che si conferma il movimento di queste stirpi da oriente verso occidente, con la loro scomparsa ad oriente – per l'arrivo degli Iapigi parlanti messapico – e l'affiorare delle loro discendenze in occidente con i Latini e probabilmente con i Siculi. Un altro aspetto della saga che riguarda il moto verso occidente si coglie nelle migrazioni di Liparo, figlio del re Auson, e di Eolo dall'Italia meridionale nelle Eolie, donde i loro discendenti avrebbero esteso il proprio dominio sopra una parte della Sicilia e dell'odierna Calabria con dinastie perduranti sino all'inizio dei tempi storici. Si aggiunga il vivissimo ricordo del passaggio dei Siculi dalla penisola in Sicilia, trecento anni prima della colonizzazione greca storica secondo Tucidide (VI, 2), cioè all'incirca nell'XI secolo a.C. Di fatto l'archeologia rivela sul finire del II millennio una assai spiccata apparizione di elementi culturali peninsulari così nelle Eolie – dove si parla appunto di culture « ausonie » – come nella Sicilia orientale. Si aggiunga, quale conferma offerta dalla linguistica, la parentela del siculo, parlato nella Sicilia orientale, con le lingue italiche e in particolare, a quanto sembra, con il latino.

Molti racconti si riferiscono a contatti fra mondo egeo e mondo italico più recenti della prima immigrazione degli Arcadi, in tempi di poco anteriori o contemporanei o posteriori alla guerra di Troia, che secondo i computi tradizionali più attendibili sarebbe da collocare, per noi, tra la fine del XIII e il principio del XII secolo a.C. Prescindendo dalle tradizioni che localizzano in Italia (più specificamente lungo le coste tirreniche) i miti di Eracle o quelli degli Argonauti, riferiscono alla Sicilia e alla Sardegna l'attività di Dedalo, ricordano in Sardegna la presenza di Aristeo, di Iolao e dei Tespiadi, e così via – tutte prove dell'importanza delle terre e dei mari dell'area italiana nel formarsi e nell'arricchirsi della mitografia greca –, segnaleremo alcune leggende specifiche che possono assumere un certo valore di traccia per lo scenario storico di fondo dei tempi in discorso. Tra queste vanno sottolineati i racconti sulla spedizione di Minosse re di Creta in Sicilia, dove, alla corte del re Còcalo nella città di Càmico nel territorio dei Sicani, egli sarebbe stato ucciso a tradimento; conseguentemente gl'indigeni avrebbero sconfitto e in gran parte scacciato dall'isola i Cretesi; nel corso di questi avvenimenti sarebbe stata fondata la città di Minoa non lontano dalla futura Agrigento. Alcuni particolari aspetti dei rinvenimenti archeologici della zona di S. Angelo Muxaro, che si suppone nel luogo dell'antica Càmico, e più in generale la grande diffusione in Sicilia di elementi di origine egea (tombe scavate a forma di *tholos* o falsa cupola, ceramica micenea, ecc.) sembrano dare a questa storia, in sé così particolareggiata, una convincente parvenza di verosimiglianza, come episodio della potenza marittima di Creta anche dopo la sua conquista da parte degli Achei. La presenza dei Cretesi è del resto ricordata dalla tradizione anche in Puglia. Ma la maggior parte delle leggende s'incentra sugli eroi della guerra troiana, greci come Ulisse, Diomede, Filottete, i compagni di Nestore nei loro viaggi di ritorno (*nostoi*), o troiani come Enea ed Antenore. È interessante che per ciascuno di questi personaggi esiste una più o meno precisa localizzazione di memorie e di culti (Ulisse nel Tirreno, Diomede nell'Adriatico, Filottete e i compagni di Nestore nell'Italia meridionale, Enea nel Lazio, Antenore nel Veneto). Un'altra serie di racconti riguarda l'arrivo in Italia dei Pelasgi dell'Egeo e dei Lidi guidati da Tirreno figlio del re Ati, o più genericamente dei Tirreni (*Tyrsenói*), identificati con gli Etruschi. È evidente che tutta questa congerie di storie, per quanto variegate e fantasiose, nella sua relativa concentrazione cronologica deve trovare un fondamento di realtà nella intensità dei contatti del mondo egeo con l'Italia nella media ma soprattutto nella tarda età del bronzo, quali emergono dall'abbondanza e dalla estensione geografica delle importazioni e delle influenze micenee (con un addensamento proprio in quei territori dell'Italia meridionale e della Sicilia ai quali richiamano più intensamente le ricordate leggende).

Potremmo così ipotizzare, a livello di considerazioni storiche, l'esistenza di un periodo nel quale la frequenza e la portata delle frequentazioni egee nell'area italiana, adombrate dalla tradizione e dimostrate dalle testimonianze archeologiche – fino al limite del possibile crearsi di veri e propri impianti coloniali o "precoloniali" micenei (allo Scoglio del Tonno presso Taranto, a Thapsos in Sicilia, forse nelle Isole Eolie e a Vivara e Ischia nel Golfo di Napoli) –, abbiano recato in Italia impulsi di progresso tali da determinare una vera e propria svolta di civiltà. Le popolazioni locali già largamente investite e trasformate dai fenomeni di indoeuropeizzazione poterono riceverne una spinta a definire i loro caratteri e ad arricchire le loro esperienze. Ed è in questo senso che il periodo di cui si discorre ci appare di cruciale importanza per l'apertura del processo che condurrà al costituirsi delle strutture storiche dell'Italia antica. È possibile che le memorie leggendarie sulla successione dei regni di Enotro, Italo, Morgete e Siculo (secondo uno schema che risalirebbe allo storico Antioco di Siracusa) riflettano l'effettiva iniziale esistenza di vasti organismi statali, forse ad imitazione dei potentati micenei, anche dopo il crollo del sistema politico-economico miceneo. Analoghe considerazioni potrebbero farsi per l'impero di Eolo suddiviso nei « regni » dei figli Iokastos (nell'odierna Calabria), Pheraimon, Androkles, Xuthos, Agathyrnos (in diverse zone della Sicilia), Asyochos (a Lipari). Non tutto di queste tradizioni sarà da considerare inventato. Per la Sicilia, alle durevoli tradizioni miceneizzanti della costa orientale si contrappongono innovazioni « ausonie » provenienti dalle Isole Eolie. Tutte le culture dell'età del bronzo finale sembrano del resto percorse anche nella penisola, come già si è notato, da tendenze innovatrici: con l'edificio principesco o sacro di Luni sul Mignone nell'Etruria meridionale e con il grande porto fluviale di Frattesina nel Polesine – per citare due fra i più significanti complessi della fase « protovillanoviana » – potremmo veramente dirci ai margini di una civiltà storica incipiente.

È indispensabile a questo punto far riferimento ad un problema controverso che viene ad inserirsi, anch'esso, nel quadro dei rapporti dell'Italia con il Mediterraneo orientale nella tarda età del bronzo. Mi riferisco alle fonti orientali sui cosiddetti Popoli del mare ricordati come aggressori dell'Egitto tra la fine del XIII e il principio del XII secolo (sotto i faraoni Meneptah e Ramses III), e in parte anche come mercenari nell'esercito egiziano. Tra questi figurano, oltre a genti di sicura origine egeo-anatolica compresi gli stessi Achei e i *Plst* (cioè i Filistei) forse identificabili con i Pelasgi, i nomi dei *Trš (Turša)*, dei *Šrdn* (*Šardana* o *Šerdani*), dei *Šklš (Šakalaša)*, nei quali si sono voluti riconoscere, sin dal secolo passato, rispettivamente i Tirreni *(Tyrsenói)*, i Sardi *(Sardanioi)*, i Siculi *(Sikelói)*. Ove si ammetta la validità di queste corrispondenze onomastiche, comunque seducenti – e per i *Šrdn* esistono anche analogie con il costume delle statuine di bronzo di guerrieri sardi –, resta il dubbio se qui si tratti di stirpi migranti nel Mediterraneo orientale eventualmente poi pervenute nell'area italiana (ciò che valorizzerebbe le leggende greche sulle origini trasmarine degli antenati di alcuni popoli italici), ovvero di stirpi già esistenti nella penisola e nelle isole italiane le quali avrebbero partecipato, anche come alleati o mercenari degli Achei o in altro modo, alle guerre e ai generali sommovimenti della fine dell'età micenea nel Mediterraneo orientale. In quest'ultimo caso una embrionale storicità della tarda età del bronzo italiana verrebbe in qualche modo sancita da documenti scritti contemporanei.

Nascita dell'Italia storica.

Il processo di formazione, cioè di differenziazione, di stabilizzazione, di qualificazione delle grandi unità etniche dell'Italia storica – quali rimarranno sostanzialmente inalterate fino alla unificazione romana – non può ritenersi attuato se non a partire dall'età del ferro, cioè dal IX-VIII secolo a.C. La documentazione archeologica appare in proposito particolarmente significante. Per le fasi antecedenti, le testimonianze materiali hanno poco valore come indizi d'interesse etnico: un rapporto con i fatti linguistici concomitanti o conseguenti al processo di indoeuropeizzazione è difficilmente percepibile nell'àmbito di fenomeni culturali di vasta estensione e scarsamente differenziati nei diversi territori quale è la civiltà del bronzo appenninica dell'Italia peninsulare. Tuttavia già sul finire dell'età del bronzo, intorno al 1000 a.C., nonostante la sostanziale uniformità delle manifestazioni «protovillanoviane», si cominciano a intravedere alcune peculiarità locali che preludono a quelle che saranno le aree culturali ben differenziate dell'età del ferro. Così nella Puglia la fase caratterizzata dalla ceramica dipinta che si suole denominare «protoiapigia» segna già con certezza la presenza degli immigrati di origine illirica portatori della lingua messapica, cioè degli Iapigi storici. Così nel Lazio si manifesta una tipica cultura di crematori con urne a capanna, detta «protolaziale», che non presenta soluzioni di continuità con la cultura del ferro laziale e appartiene senza alcun dubbio ai Latini.

Con l'età del ferro appaiono chiaramente definite quelle culture regionali nelle quali riconosciamo i complessi "nazionali" del mondo italico, in quanto esse corrispondono più o meno precisamente alle aree linguistiche dimostrate nei secoli immediatamente successivi dai documenti epigrafici e ai territori delle popolazioni storiche ricordate dalle fonti letterarie. Queste corrispondenze sono nella maggioranza dei casi evidentissime come prova il sovrapporsi dei due prospetti di distribuzione geografica delle culture del ferro e delle lingue dell'Italia antica (*figure 1* e *2*): ciò che a dire il vero, per questa età, in queste circostanze e su questa portata, non contrasta in alcun modo con i dubbi metodologici inizialmente espressi a proposito della «lex Kossinna». Talvolta il rapporto appare meno sicuro e più nebuloso, sia per la incompiutezza delle nostre conoscenze, e sia per la probabile intrinseca condizione di embrionalità, fluidità, variabilità delle aggregazioni etniche nel corso stesso dei tempi storici, come è il caso di talune zone dell'Italia centrale e soprattutto della pianura padana e dell'area alpina. D'altra parte il "test" archeologico non può rivelare, come è chiaro, la multiforme e complicata realtà delle vicende storiche attraverso le quali dalle situazioni e dai movimenti dell'Italia preistorica si passò al formarsi di compagini territoriali stabili, definite da proprie peculiari consuetudini linguistiche, di tradizioni e di costume, e alla coscienza di tale unità, cioè alle «nazioni» (*nomina*, nel termine tecnico latino) dell'Italia storica: vicende che potranno essere state di volta in volta determinate dall'affermarsi del potere di uomini o di gruppi, da esigenze di difesa o di conquista, dal comune sviluppo di attività produttive, dal concentrarsi di interessi intorno a santuari, a mercati, a nuclei abitati, e così via: le quali per altro in grandissima parte ci sfuggono. Ciò che interessa soprattutto sottolineare, in questo quadro di considerazioni generali, è il fatto che la sostanziale strutturazione etnica dell'Italia antica avviene più o meno contemporaneamente all'inizio del I millennio a.C., nell'ambito storico-culturale che immediatamente precede e accompagna l'inizio dell'età del ferro, quale fenomeno che, di là dai suoi sviluppi singoli, non può non essersi determinato sotto stimoli comuni, con aspetti di serrata reciproca interdipendenza: segnale fin dal primo momento di unitarietà del quadro della storia italica.

Vediamo ora, se possibile e fin dove possibile, dipanarsi la trama di questi processi di formazione e di stabilizzazione, a cominciare dal Sud e seguendo un ordine che vuole essere in pari tempo geografico e cronologico. Si è già accennato alla precocità del Sud fin dalla preistoria. Si è anche parlato della possibilità che l'Italia meridionale e la Sicilia, forse a seguito della fecondazione culturale micenea, siano assurte fin dalla tarda età del bronzo ad un certo livello di strutture definibili come storiche (centri protourbani, compagini statali, ecc.), per altro ipotizzabili soltanto dalla interpretazione delle leggende sui regni enotri, ausonii, siculi, eolii, e da alcuni dati offerti dall'archeologia. Questa esperienza "paleoitalica", se è veramente esistita, doveva però aver esaurito la sua fase di maggiore vitalità al momento della colonizzazione greca nell'VIII secolo a.C.:

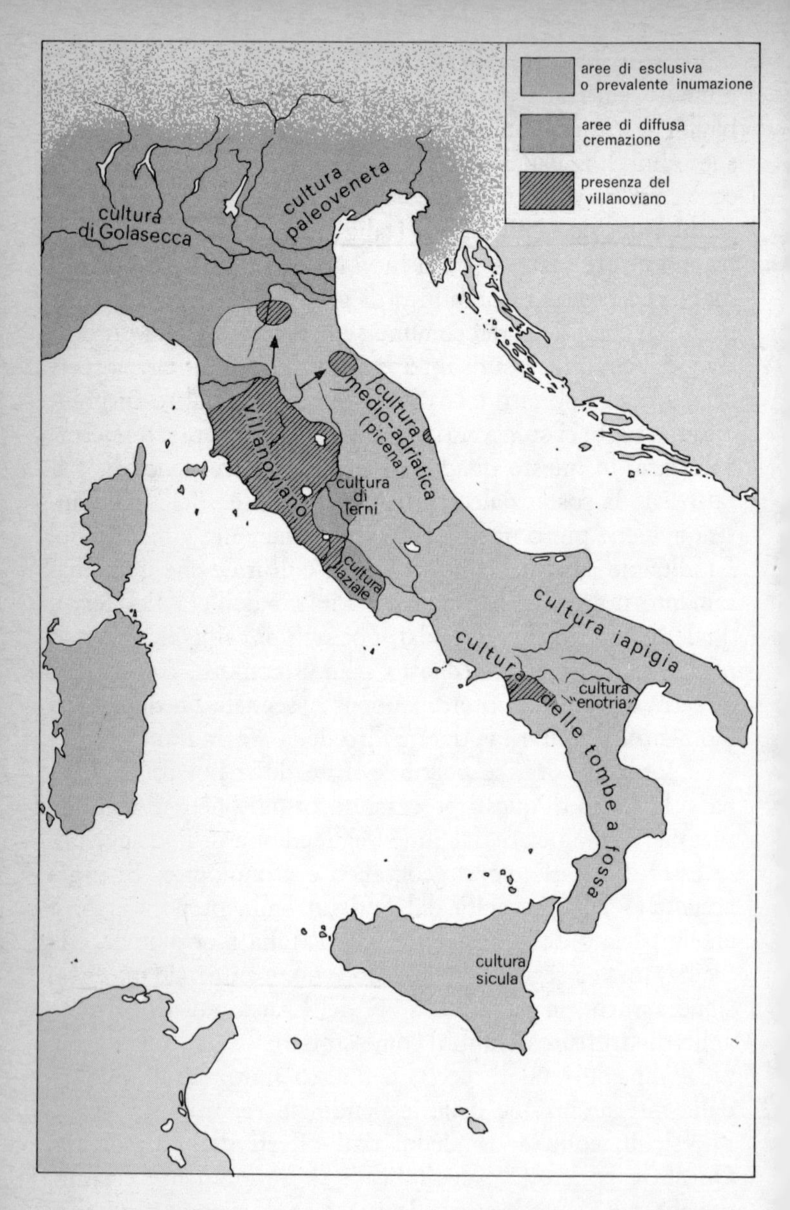

Fig. 1. - Le aree culturali dell'Italia all'inizio dell'età del ferro (IX secolo a.C.).

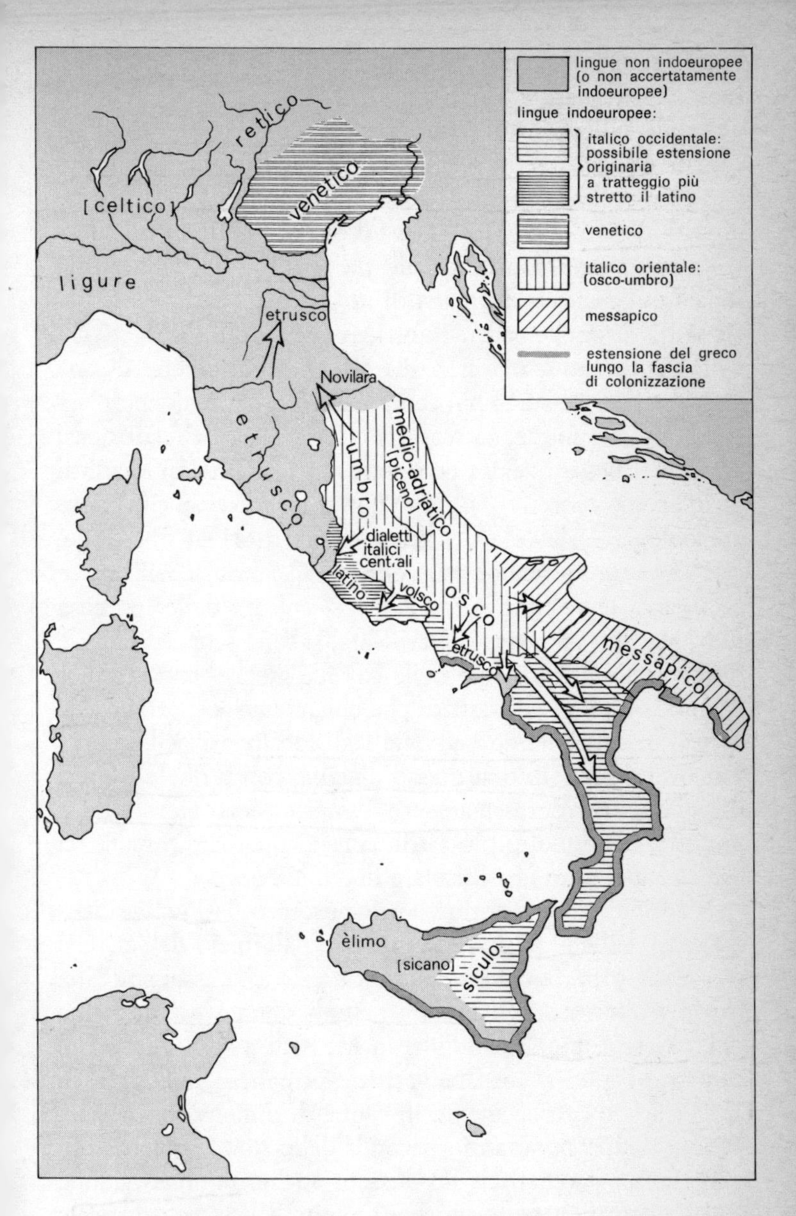

Fig. 2. - Distribuzione originaria e diffusione delle lingue dell'Italia antica.

la quale colonizzazione greca a sua volta concorse probabilmente essa stessa ad interromperne o deviarne gli ulteriori possibili sviluppi autonomi. La pressione degli Iapigi da oriente e specialmente il dilagare degl'Italici orientali di lingua osco-umbra da settentrione finirono con il riassorbirne gli ultimi resti. Tutto ciò spiega il precoce oblio in cui rimase avvolto questo presumibile primo capitolo della storia italica e il mancato formarsi di un'autentica e durevole nazionalità di quelle genti, Enotri, Ausoni, Itali, Morgeti, Siculi, i cui nomi – ove non si tratti di nomi diversi di una stessa stirpe – restano pur sempre avvolti in un alone di leggenda o, comunque, in tempi storici avanzati riferiti quasi sempre al passato (fatta eccezione per i vitalissimi Siculi di Sicilia come vedremo). Eppure non mancano cospicue tracce archeologiche dell'età del ferro nei territori in questione, cioè, a parte la Sicilia, nelle odierne Calabria, Basilicata, e Campania dove fiorì la cosiddetta « cultura delle tombe a fossa » e, specialmente in Basilicata, si sono scoperti densi e durevoli abitati a monte delle colonie greche, con la tipica ceramica dipinta geometrica che chiamiamo « enotria ». Né certo dimenticheremo che dagl'Itali localizzati nell'odierna Calabria deriva il nome stesso d'Italia, con il quale i Greci designarono progressivamente l'intero Mezzogiorno della penisola (solo molto più tardi, con le conquiste romane, si estenderà a tutta la penisola e fino alle Alpi).

Originario territorio enotrio-ausonico, la Puglia illirizzata già dall'età del bronzo espresse dall'inizio dell'età del ferro una propria civiltà dalle caratteristiche assai spiccate. Ne furono creatori gli Iapigi (o Apuli, che è variante latina dello stesso nome), suddivisi in Messapi a sud, Peucezi al centro e Dauni a nord nell'attuale provincia di Foggia. Si addensarono precocemente in centri di dimensioni urbane. Produssero, con varianti a seconda delle zone, raffinatissimi vasi dipinti geometrici. Produssero anche, in zona daunia, stele funerarie a figura umana scolpite a bassorilievi ornamentali e figurati. Pur nelle inevitabili connessioni con altre aree culturali meridionali, la Puglia dà impressione di un'accentuata specializzazione e di un certo isolamento – forse dovuto alla natura stessa della stirpe recentemente immigrata – che, percepibile sin dagli inizi, avrà conseguenze storiche rilevanti, come ci sarà dato di constatare più avanti.

Si è fatto cenno alle possibili lontane parentele etniche degli abitatori della Campania e del Lazio con i "paleoitalici" del Mezzogiorno. Per la Campania (intesa estensivamente in senso moderno) mancò nell'età del ferro un assetto culturale – e presumibilmente etnico-culturale – unitario. Gran parte del paese rientra nell'area della « cultura delle tombe a fossa », che sarà da attribuire probabilmente agli Ausoni e agli Opici. Ma nel territorio dell'attuale provincia di Salerno, specialmente a Pontecagnano sulla pianura costiera e a Sala Consilina nella valle del Tanagro, sono venuti in luce sepolcreti a cremazione molto simili a quelli della civiltà del ferro villanoviana dell'Etruria, tali da far pensare ad una precocissima presenza e influenza (coloniale o "precoloniale"?) etrusca già dal IX secolo. Se c'è questo e se si considera l'arrivo dei Greci, anch'esso precoce (prima metà dell'VIII secolo), nel golfo di Napoli, sospettando inoltre penetrazioni impercettibili di Italici orientali dalle zone montuose dell'interno, veramente si può comprendere perché sia venuta a mancare la formazione di una compagine organica degli abitatori primitivi della Campania. Di là dalla "zona di silenzio" del Lazio meridionale, il destino del Lazio a nord dei Monti Ausoni (che sarà poi chiamato *Latium vetus*) appare del tutto diverso. Qui già dalla fine dell'età del bronzo, come sopra accennato, e poi all'inizio dell'età del ferro – diciamo dunque nel X e IX secolo – si manifesta una civiltà di crematori caratterizzata dall'uso di urne cinerarie in forma di capanna, che troviamo incentrata specialmente intorno ai Monti Albani (ma è presente anche nel luogo dove va nascendo Roma). A questa prima espressione della vita dei Latini fa seguito una fase di prevalente inumazione verosimilmente influenzata dalla

« cultura delle tombe a fossa » meridionale, durante la quale molti dei modesti villaggi originari assurgono ad una dimensione di centri protourbani e alcuni, come Roma, tendono a diventare vere e proprie città; si diffondono l'influenza greca e una civiltà orientalizzante certamente mutuata dall'Etruria; premono dall'interno gl'Italici orientali, cioè i Sabini, e s'imporrà più o meno diffusamente la supremazia politico-economica degli Etruschi: tutto questo nel corso dell'VIII e VII secolo.

Abbiamo così già nominato gli Etruschi, senza i quali fin dalle origini la storia dell'Italia antica, così come essa si è svolta, risulterebbe incomprensibile. È ben nota la disputa moderna sull'origine degli Etruschi che un numero rilevante di studiosi ha creduto e crede di provenienza orientale trasmarina, secondo le tradizioni classiche che consideravano i Tirreni (che è il nome greco degli Etruschi) discendenti dei Lidi o identificabili con i Pelasgi o pervenuti comunque in Italia dall'Egeo e in particolare dall'isola di Lemno (e non può minimizzarsi il fatto che proprio a Lemno si è rinvenuta una iscrizione in una lingua preellenica che è la più vicina che si conosca alla lingua etrusca); mentre altri studiosi parlarono di una provenienza nordica come quella degli « Italici » o posteriore ad essa; ed altri ancora, seguendo la famosa teoria antica di Dionisio di Alicarnasso, hanno parlato di un'autoctonia degli Etruschi, che sarebbero da riconoscere come derivanti dal substrato preindoeuropeo d'Italia. Non è difficile riconoscere nella maggior parte di queste tesi una tendenza ad isolare il problema delle origini degli Etruschi da quello generale delle origini italiche, evidentemente per il fatto che la lingua etrusca è fondamentalmente non indoeuropea. Ma la questione non può risolversi con formule semplicistiche. I vari argomenti addotti s'intersecano tra loro e non si contraddicono reciprocamente, purché la nascita della nazione e della civiltà degli Etruschi sia intesa come un processo formativo adeguatamente lungo risalente anch'esso notevolmente di là dall'inizio dei tempi storici, come si è inteso più estensivamente per tutte le stirpi del mondo italico: e quindi con inevitabili interferenze con le origini degli altri popoli. Nel già rilevato quadro complessivo dei rapporti tra le aree culturali dell'età del ferro e le aree etnico-linguistiche dell'Italia storica appare manifesta la corrispondenza tra l'area della cultura che diciamo « villanoviana » (da Villanova presso Bologna dove fu scoperta per la prima volta: caratterizzata specialmente dalla cremazione con urne cinerarie di forma biconica) e il territorio abitato dagli Etruschi in epoca pienamente storica, cioè l'Etruria propria, ma anche parte dell'Emilia e Romagna e della Campania. Non crediamo possa esservi più alcun dubbio che il villanoviano sia la più antica espressione di civiltà del popolo etrusco già formato. Le sue origini saranno quindi da riportare più indietro, nell'età del bronzo, in corrispondenza del « protovillanoviano » d'Etruria (molto evoluto come già sappiamo) o ancora prima, e in base ai dati linguistici si potrà pensare ad una gestazione in un'area non investita massicciamente dalle innovazioni indoeuropee e ad una eventuale fecondazione da elementi di origine egea, forse adombrati nelle leggende delle immigrazioni dei Pelasgi e dei Tirreni. La presenza del villanoviano nell'Italia settentrionale e adriatica (una piccola enclave villanoviana si conosce anche a Fermo nelle Marche) e nell'Italia meridionale prova che gli Etruschi sono già in fase espansiva nel IX secolo, e forse concorrono ad accelerare i processi di differenziazione delle genti toccate da questa espansione. Nell'Etruria propria il villanoviano ha uno sviluppo accelerato ed intenso durante il corso dell'VIII secolo, con la progressiva trasformazione degli abitati di villaggio in centri protourbani e con l'apertura alle influenze orientali da cui si genera la civiltà orientalizzante del VII secolo.

Un'altra grande polarità della nascente figura etnico-culturale dell'Italia antica è rappresentata dalle molte e varie popolazioni parlanti dialetti del gruppo linguistico osco-umbro, cioè dagl'Italici orientali. In epoca storica essi ci appaiono dispersi sopra un vasto territorio comprendente il centro della penisola e il versante adriatico con progressive espansioni in atto verso il Mar Tirreno e il Mar Ionio, e a nord verso la Romagna; si presentano inoltre sensibilmente differenziati nei tempi e nei modi delle loro manifestazioni. Possiamo tuttavia ritenere, specialmente alla luce delle scoperte e degli studi più recenti, che in un'area compresa tra le Marche, gli Abruzzi e la provincia di Rieti si sia venuta configurando, almeno a partire dagl'inizi dell'età del ferro, una unità etnica alla quale si può attribuire il nome generale di Sabini (o, nella loro propria fonologia, *Safini*). La loro espressione culturale significativa più antica si riconosce nella civiltà denominata comunemente « picena » (dal nome dei Piceni o Picenti, uno dei rami del ceppo originario) delle Marche e dell'Abruzzo settentrionale, fortemente influenzata da correnti adriatiche. Ma la presenza dei Sabini con movimento verso occidente è ricordata fin nella valle del Tevere in tempi piuttosto remoti come prova la loro implicazione nelle stesse tradizioni della fondazione di Roma. Al nucleo originario si ricollegano, con una differenziazione verosimilmente più tardiva, diversi popoli dell'area abruzzese (Vestini, Marsi, Peligni, Marrucini, ecc.); mentre più a sud appartengono alla stessa stirpe i Sanniti del Molise e della Campania, dalla cui diaspora gemmeranno in piena età storica i Campani, i Lucani, i Bruzi. È difficile precisare, ma è probabile, che alla fase delle origini appartenga anche il movimento degl'Italici orientali verso il nord, che portò alla loro installazione in Umbria e di qui in Romagna.

È curioso che la civiltà « picena » lungo il litorale adriatico arrivi ad includere la zona di Pesaro dove la necropoli di Novilara ha restituito documenti epigrafici in una lingua diversa da quella degl'Italici orientali e difficilmente classificabile. Il fatto va annotato come indizio di un costituirsi etnico che ha lasciato ancora tracce di gruppi primitivi non amalgamati, specialmente ai margini di quella grande area della Padania orientale (Emilia, Romagna e parte della Lombardia e del Veneto attuali) nella quale, al di sotto delle espansioni etrusca, veneta e umbra, debbono essere esistiti altri abitatori più antichi non indoeuropei o appartenenti ad avanguardie indoeuropee: ricordiamo in proposito gli Euganei che per noi restano soltanto un nome.

Una caratterizzazione etnico-culturale ben definita – tra le meglio definite di tutte le compagini regionali dell'Italia preromana – s'incontra nel Veneto dove, dalla già specializzata facies locale «protovillanoviana», nasce all'inizio dell'età del ferro (IX-VIII secolo) la civiltà che chiamiamo «paleoveneta» o «atestina» da Ateste nome latino di Este, uno dei luoghi più ricchi di scoperte ad essa pertinenti. La sorprendente continuità di questo fenomeno fino in età storica molto avanzata ci assicura che esso rappresenta l'ethnos dei Veneti nei loro confini tra il fiume Adige, le Alpi e l'Istria. Prevale il costume della cremazione dei morti; si afferma una tipica produzione di oggetti di bronzo laminato decorato a sbalzo (la cosiddetta «arte delle situle»); nel suo relativo isolamento questo mondo presenta tuttavia notevoli contatti con il villanoviano dell'Emilia e con la civiltà picena, oltre che con le culture del ferro dell'Europa centrale (Hallstatt) e della Slovenia.

Resterebbe da considerare tutta la vasta area della pianura padana centro-occidentale e delle Alpi. Qui le questioni delle origini si legano pressoché esclusivamente ai dati archeologici, mancando dati linguistici e storici, se non tardivi ed incerti, su ben delineate nazionalità. Conosciamo i nomi di numerose genti e tribù; a livello di maggiori raggruppamenti sappiamo che esistevano nelle Alpi Centro-Orientali i Reti e che gran parte dell'Italia nord-occidentale era occupata dai Liguri, diffusi anche oltre le Alpi; un evento storico che tocca tutto il futuro di questi territori è poi la penetrazione dei Celti. Ma il quadro complessivo è sfuggente, non riconducibile a precise distribuzioni territoriali e seriazioni cronologiche. Si ha cioè l'impressione che qui in piena età storica il processo di definizione etnica fosse ancora in fieri, così come lo era stato in altre parti d'Italia durante la preistoria. Difficile è poi stabilire i tempi e i modi della diffusione celtica, che ebbe certamente caratteri nomadici, o di progressione non sistematica (come avremo occasione di trattare al momento opportuno in un capitolo successivo) e dette luogo a commistioni con le genti liguri, o di altra stirpe, ad essa preesistenti. Certo ai Celti o alle loro avanguardie appartennero i Leponzi incentrati attorno ai laghi lombardi. Archeologicamente un'area culturale relativamente ben caratterizzata si era manifestata nell'età del ferro soprattutto in Lombardia: quella che chiamiamo « civiltà di Golasecca », di prevalenti crematori, con precedenti nella tarda età del bronzo; ma la sua corrispondenza con un nome etnico resta incerta.

Il processo di costituzione delle strutture storiche dell'Italia antica si completerà, e per taluni aspetti si concluderà, con la colonizzazione greca, che, pur trovando al principio dell'VIII secolo largamente avviato il processo di definizione etnica, concorrerà in modo determinante ad accelerare lo sviluppo delle comunità italiche, trasmettendo ad esse il modello della città, i concetti del diritto pubblico, la scrittura, l'edilizia monumentale, la grande arte figurata ed ogni altro elemento di evoluta civiltà: donde esse trarranno, quali più e quali meno, la loro fisionomia definitiva. Si compirà così quel ciclo di progresso e di qualificazione che aveva avuto inizio alcuni secoli prima con la sollecitazione micenea e nel cui arco di tempo s'inserisce la prima fase della storia, o se si vuole la protostoria, del mondo italico.

III.

L'ETÀ DELLA FIORITURA ARCAICA

(VIII-V secolo a.C.)

La colonizzazione greca.

La storia e la civiltà dell'Italia antica sarebbero inimmaginabili senza la colonizzazione del Mezzogiorno della penisola e della Sicilia da parte dei Greci. Questo imponente fenomeno irradiò direttamente o indirettamente la sua influenza su gran parte dei territori italiani e delle loro popolazioni. A partire dal suo inizio nell'VIII secolo l'Italia entra nella pienezza dei tempi storici, in coincidenza con il definitivo costituirsi delle grandi unità etnico-culturali e con l'avvio al processo di urbanizzazione. È appunto in questa tendenza alla nascita della città, come nella diffusione della scrittura alfabetica proveniente dall'Eubea o, più esteriormente, nella importazione ed imitazione della ceramica dipinta geometrica, che noi vediamo svilupparsi una sorta di vigorosa dialettica culturale tra immigrati (non solo i coloni, ma anche mercanti navigatori e artigiani) e genti locali; ed in pari tempo configurarsi le tradizioni nazionali di queste ultime – tipico il caso degli alfabeti etrusco e latino derivati da quelli euboici di Pitecusa e di Cuma – in un quadro di impulsi unitari e di espressioni differenziate. La navigazione di cabotaggio, intensissima dal Mar Ionio al Mar Tirreno, trasmette non soltanto prodotti, ma anche tecniche, immagini, idee. Le zone minerarie di Populonia e di Vetulonia in Etruria, fra le più ricche per la produzione di metalli esistenti allora nel Mediterraneo, polarizzano l'interesse dei cercatori di materie prime, attirando sollecitazioni ed innovazioni dalla Grecia e dall'Oriente e contribuendo – come fu bene visto da C.F.C. Hawkes – allo stesso formarsi di alcuni dei tratti più appariscenti del volto dell'Etruria storica, cioè il suo apparente esotismo ed il suo eclettismo culturale, la sua tendenza a sviluppare una società industriale-artigiana e mercantilistica, la sua relativa indifferenza verso stabili costruzioni giuridiche e di pensiero.

Ma è evidente che, nella grave difficoltà di utilizzare storicamente indizi tanto diversi, frammentari e variabili quali sono le testimonianze archeologiche accanto alla interpretazione di scarse e tardive notizie delle fonti letterarie, almeno per quel che riguarda le fasi più antiche del rapporto fra Greci e non Greci in Italia noi ci troviamo di fronte a lacune ed incertezze, anche fondamentali, per le quali ogni tentativo di ricostruzione dei fatti non può essere che estremamente ipotetico, approssimativo e provvisorio. Qualunque nuova scoperta può alterarne o trasfigurarne le prospettive. La materia è tutta in costruzione. Basti pensare al significato rivoluzionario degli scavi della necropoli e dell'abitato di Pitecusa nell'isola d'Ischia, con le sue testimonianze risalenti fino alla prima metà dell'VIII secolo, per la conoscenza della storia e della cronologia della primissima colonizzazione greca e dei suoi rapporti con le culture indigene dell'Italia centrale; o ai risultati di altre esplorazioni recenti o in corso in Sicilia, nell'odierna Calabria, in Campania, nel Lazio.

Senza dubbio per la storiografia moderna potevano e possono considerarsi acquisite almeno le linee salienti del grandioso processo d'insediamento dei Greci sulle coste dell'Italia meridionale e della Sicilia sulla base dei numerosi, per quanto dispersi, ragguagli della letteratura classica, specialmente di Erodoto, Tucidide, Diodoro Siculo, Strabone, mentre è andata purtroppo perduta la più antica storiografia coloniale con le opere di Antioco e Filisto di Siracusa, Timeo di Taormina, ecc., dei quali restano solo derivazioni e frammenti; si aggiunga tutto l'immenso patrimonio di testimonianze topografico-monumentali, archeologiche, epigrafiche in continua crescita per il progredire delle ricerche moderne sul terreno, straordinariamente intensificate proprio nel corso degli ultimi decenni.

Prescindendo dalla possibilità di navigazioni esplorative o di commercio eventualmente anteriori alla colonizzazione vera e propria – per le quali si è proposto il discusso concetto (e termine) di « precolonizzazione » – le più antiche imprese di installazioni coloniali nell'area italiana conosciute, o comunque riconoscibili, sembrano aver avuto come punto di partenza l'isola di Eubea, cioè le città ioniche di Calcide e di Eretria dapprima associate, poi la sola Calcide. Esse si spinsero precocemente nelle terre più lontane della colonizzazione greca nel Tirreno. Nacquero così fra il secondo e il terzo quarto dell'VIII secolo anzitutto la remota Pitecusa di fronte alla costa campana, donde poi con lieve intervallo sulla terra ferma Cuma, quindi il primo stanziamento di Zancle sullo stretto di Messina e Naxos sulla costa orientale della Sicilia; successivamente, a catena, con varie intersecazioni di elementi costitutivi, con riflussi e rinforzi (non escluso il concorso di fattori estranei alla cerchia degli oriundi euboici), la definitiva colonia di Zancle-Messina e l'antistante Reggio, Leontinoi, Catania. Non si può del tutto escludere che in questa primissima fase di attività coloniali si inseriscano anche imprese di Rodii, ai quali, a parte altre operazioni nei mari occidentali, si attribuiva la fondazione semileggendaria di Partenope.

Presto comunque nella colonizzazione della Sicilia s'inserisce la concorrenza di immigrati di stirpe dorica, provenienti dalle zone intorno all'istmo di Corinto, come i Megaresi fondatori di Megara Iblea, forse già dalla metà dell'VIII secolo o poco dopo, stando alle indicazioni dei nuovi dati archeologici degli scavi francesi, e i Corinzi stessi fondatori di Siracusa nel 733 a.C. (secondo la data tradizionale di Tucidide). Ma gli ultimi decenni dell'VIII secolo videro anche una sorta di corsa all'accaparramento delle coste ioniche della penisola con la fondazione delle colonie « achee »

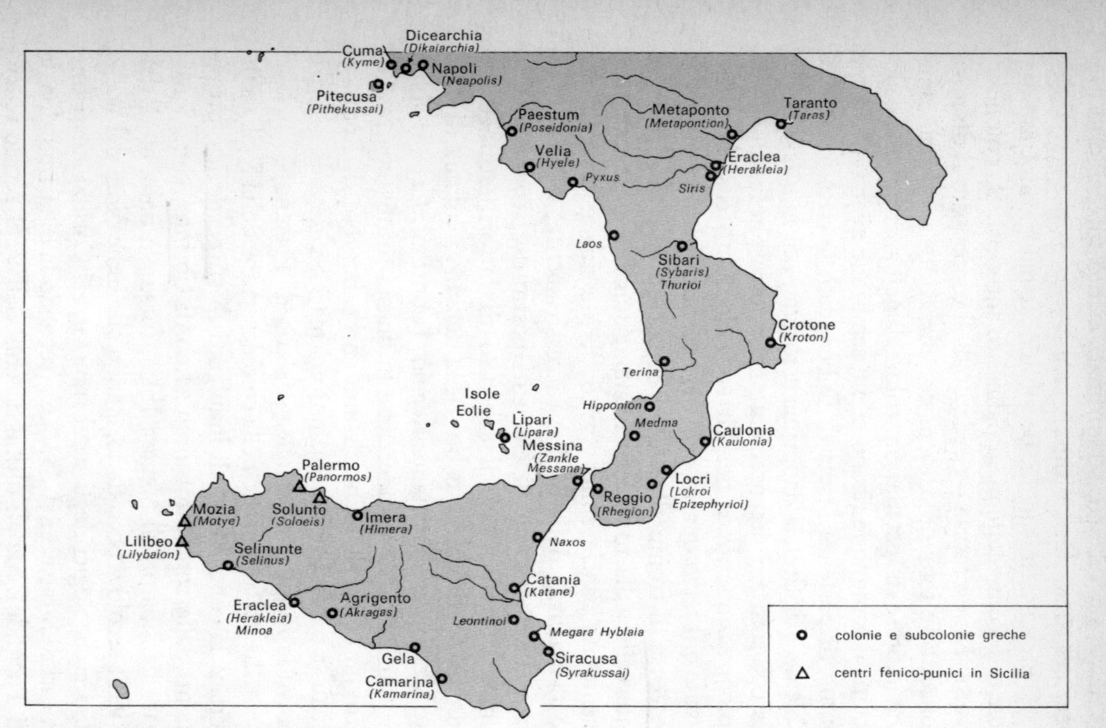

Fig. 3. - La colonizzazione greca.

di Sibari, Crotone e Metaponto e della colonia spartana di Taranto. Qualche decennio più tardi il quadro delle colonizzazioni primarie si completerà con le fondazioni (*ktíseis*) di Gela in Sicilia ad opera di Rodii e Cretesi (688), di Locri Epizefirii nell'odierna Calabria ad opera di Locresi e di Siris tra Sibari e Metaponto ad opera di Ioni asiatici di Kolophon (680-670 circa).

Nelle fasi successive dell'età arcaica il movimento colonizzatore si svilupperà in due sensi. Da una parte si avrà l'intenso moltiplicarsi delle fondazioni secondarie su nuovi territori di espansione: così nella Sicilia del nord Mylai e Himera subcolonie di Zancle; nella Sicilia del sud Selinunte stabilita da Megara Iblea (650 circa), Camarina da Siracusa (598), Agrigento da Gela (580); sul versante tirrenico della punta calabra Metauros, Medma, Hipponion, derivate da Locri; più a nord lungo le coste tirreniche Laos subcolonia di Sibari e infine Posidonia costituita già nel VII secolo da elementi di Trezenii provenienti da Sibari e in ultima analisi emanazione anch'essa di Sibari. Da un'altra parte non prima della fine del VII secolo una nuova ondata di coloni moverà verso occidente dalle remote e sempre più agitate terre della Grecia asiatica: primi i Focei, fondatori di Massalia (Marsiglia) sulle coste della Francia meridionale e di Alalia in Corsica, poi rifluenti da Alalia a Velia-Elea a sud di Posidonia (535 circa); verso l'inizio del VI secolo Cnidii insieme con Rodii stabiliti a Lipari; inoltre Samii a Dicearchia, cioè Pozzuoli, nel golfo di Napoli (530 circa) e a Zancle-Messina al principio del V secolo. Ma degli sviluppi di questi ultimi eventi meglio si dirà più avanti.

Gli studiosi moderni non sono concordi sulle cause e sulla natura della colonizzazione greca considerata nel suo complesso. È probabile che essa abbia seguìto, specialmente all'origine, spinte e interessi di carattere mercantilistico, cioè di ricerca e acquisizione di materie prime – si pensa specialmente al metallo – e di scambio di prodotti, anche in concorrenza con le navigazioni dei Fenici, come potrebbe suggerire la precocità di stanziamenti più lontani e su vie d'incrocio di traffici marittimi (Pitecusa). Nel quadro di tali presupposti e orientamenti rientrano le relazioni pacifiche e la parziale reciproca permeazione con le popolazioni locali, rilevabili archeologicamente nei casi degli abitati indigeni prossimi alle colonie greche (per esempio intorno a Sibari). Ma è altrettanto probabile che al processo della colonizzazione abbiano contribuito largamente anche i motivi della pressione demografica, che spingeva una parte della popolazione della madrepatria ad emigrare verso nuove terre e ad impiantarvisi stabilmente soprattutto al fine del loro sfruttamento agricolo: per la vastità delle sue estensioni utilizzabili l'Italia occupata dai Greci assumerà la denominazione di Magna Grecia. Particolarmente significativa a questo proposito è per noi oggi, ad esempio, il rivelarsi di una grandiosa pianificazione territoriale, con divisione geometrica dei campi, risalente ad epoca arcaica, nella zona di Metaponto, città che ebbe la spiga di grano a proprio simbolo monetale. Lo stesso problema dell'origine degl'impianti urbani di tipo ortogonale (cioè con vie diritte intersecantisi ad angolo retto e delimitanti spazi rettangolari) trova forse la sua soluzione in una distribuzione di particelle rurali attribuite alle singole famiglie dei coloni, come proverebbero le osservazioni fatte sulla più antica pianta di Megara Iblea. S'intende che l'esigenza di spazio per le colture, come ogni altro sviluppo ad essa connesso, imponeva occupazioni espansive atte piuttosto a provocare situazioni di conflitto con gl'indigeni e a favorirne l'asservimento o l'arretramento. La colonizzazione demografica comporta, cioè, il dominio territoriale.

L'importanza storica del grandioso movimento colonizzatore si misura considerando che esso opera una rapida trasformazione dei territori investiti portandoli da un livello protostorico (sia pure già permeato da influenze mediterraneo-orientali) ad un grado di civiltà pari a quello dei centri del mondo greco, e via via con esso maturante, senza differenze, fino alle più alte conquiste della civiltà arcaica: con città organizzate, culti portati dalla madrepatria, ordinamenti stabili, templi progressivamente sempre più grandiosi, opere d'arte, perfino creazioni poetiche (è il caso di Stesicoro d'Imera); tutto questo per non parlare di ciò che diverrà il mondo greco d'Italia e di Sicilia più tardi, cioè nell'età classica e nell'età ellenistica.

All'azione d'incivilimento diretto si aggiungono le influenze sugli altri territori dell'area italiana. In questa prospettiva più che la vicinanza geografica conta la rispondenza dei paesi e dei popoli che ricevono le sollecitazioni: queste restano infatti soltanto parziali ed esteriori in diverse zone interne marginali alle fasce di colonizzazione (così nell'Italia meridionale come in Sicilia), mentre operano fecondamente e profondamente su quella che potremmo chiamare area tirrenica dell'Italia, cioè Campania, Lazio e soprattutto Etruria, che per proprio conto maturavano sensibili accrescimenti culturali. Ma l'influsso ellenico non parte soltanto dalle colonie; esso giunge, anche al di fuori del loro tramite, dalla madrepatria greca. Per esempio Corinto esercitò sui centri tirrenici una funzione di stimolo e d'impronta assai più vasta e profonda di quanto possa giustificare una sola fondazione coloniale sia pure cospicua come Siracusa: lo conferma la tradizione relativa allo stabilirsi in Etruria di artisti corinzi nel VII secolo riportata da Plinio il Vecchio (*Naturalis historia*, XXXV, 36,152); gran parte dei nomi propri del mito greco adottati nella lingua etrusca sembra di origine corinzia; da Corinto provengono in abbondanza ceramiche importate e quindi largamente imitate localmente, ispirazioni figurative della pittura e della scultura, probabilmente anche l'uso delle terrecotte di rivestimento architettonico che ebbe in Italia un terreno particolarmente fecondo di esperienze e di sviluppi anche oltre i limiti dell'età arcaica. Altre correnti d'importazioni di vasi dipinti e introduzione di spunti artistici si riportano a Rodi, a Sparta e infine specialmente ad Atene che, del tutto assente dalla sfera dei movimenti e degl'interessi coloniali, ciò nonostante imporrà sui mercati italiani la supremazia della sua produzione ceramica già dalla prima metà del VI secolo.

Parallelamente (e forse anche in parte anteriormente) alla colonizzazione greca si svolgeva in Occidente la colonizzazione dei Fenici, alla quale non si può mancare di fare un cenno a questo punto del nostro discorso. Non si può dire tuttavia che essa si sia proposta concorrenziale ed altrettanto ricca di effetti, rispetto alla colonizzazione greca, nell'area italiana di cui tocca soltanto le estreme frange occidentali, cioè l'ovest della Sicilia e la Sardegna. In Sicilia i Fenici fondarono le città di Mozia, Palermo, Solunto; in Sardegna Nora, Bithia, Sulcis, Tharros e Karalis (Cagliari). L'originario impulso mercantile e il carattere di empori dei primi stabilimenti perdurarono a lungo; la loro influenza si limita quasi esclusivamente ai territori indigeni contigui. Una piena fioritura di queste città si avrà soltanto in concomitanza con l'affermarsi dell'egemonia di Cartagine, con cui si apre un nuovo capitolo di storia di cui diremo più avanti.

L'espansione etrusca e il resto dell'Italia.

Si è già prospettata la possibilità di un precoce movimento espansivo degli Etruschi denunciato dalla diffusione della civiltà villanoviana. Al centro è l'Etruria propria che, per celerità e grandiosità di sviluppo, per ampiezza di territorio, per compattezza di manifestazioni, costituisce, insieme con la colonizzazione greca, il fenomeno più rilevante della storia dell'Italia arcaica. Nell'Etruria propria tra il IX e il VII secolo da aggregazioni di villaggi villanoviani sorgono città che saranno tra le maggiori e più splendide, nonché dell'Italia, dell'intero Mediterraneo centro-occidentale: così, da sud verso nord, Veio, Caere (Cervèteri), Tarquinia, Vulci, Roselle, Vetulonia, Populonia,

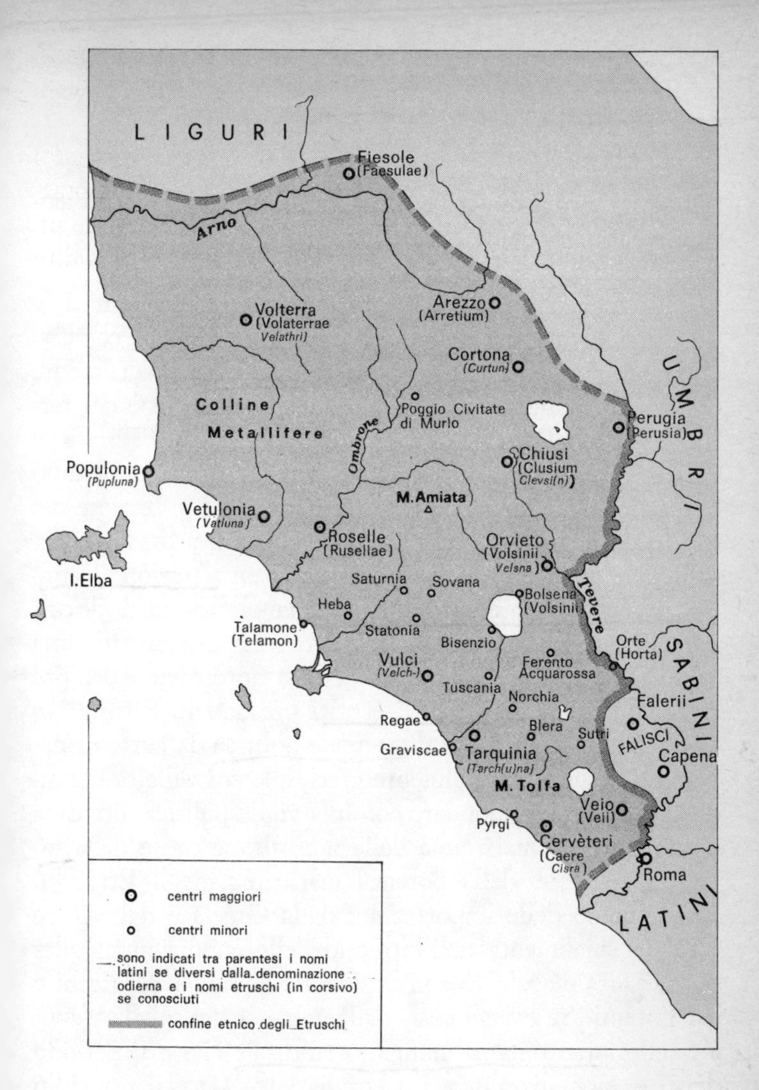

Fig. 4. - L'Etruria tirrenica.

Volterra; più all'interno (e in parte più tardivamente) Volsinii (nel luogo dell'attuale Orvieto), Chiusi, Perugia, Cortona, Arezzo, Fiesole; ma il quadro dell'Etruria arcaica non si esaurisce con le sole grandi città, comprendendo anche numerosi centri minori e località isolate con sepolcri monumentali, che denunciano il formarsi di oligarchie gentilizie terriere.

Il movente essenziale della prosperità economica, e del conseguente progresso culturale, va ricercato, come si diceva in principio, nelle ricchezze minerarie specialmente della zona costiera settentrionale dell'Etruria, cioè dei territori di Populonia e di Vetulonia, con l'isola d'Elba e le Colline Metallifere, donde si estraeva ferro, rame, piombo argentifero, ma anche da altre località come le ferriere dei Monti della Tolfa. La domanda di minerali a livello internazionale doveva provocare da un lato un'attrazione e concentrazione d'imprenditori, tecnici, lavoranti anche di origine straniera; da un altro lato l'attivarsi di una fittissima rete di scambi che è alla base della straordinaria e sempre crescente massa di prodotti esotici presenti in Etruria; in terzo luogo un richiamo d'interesse politico da parte di navigatori e coloni specialmente greci, alle cui velleità si rendeva necessario rispondere con una vigile politica difensiva e offensiva sui mari: una delle non ultime cause della talassocrazia, cioè della potenza marittima, degli Etruschi. Il fenomeno delle importazioni dalla Grecia e dal Vicino Oriente si alimenta nell'intreccio delle condizioni di alta potenzialità d'acquisto con la volontà di sfarzo dei ricchi e dei potenti. Si giunge così, dall'evolversi del villanoviano, a quello straordinario momento culturale che è il periodo detto «orientalizzante» tra la fine dell'VIII e il principio del VI secolo. Esso è caratterizzato dalla provenienza esotica di materie preziose quali l'oro e l'avorio, e di singoli prodotti lavorati quali bronzi asiatici, faenze egizie, patere istoriate d'argento anche dorato siriache o cipriote, oltreché ceramiche greche di lusso; inoltre e prevalentemente da opere di raffinati artigiani locali che s'ispirano al gusto dell'Oriente nella toreutica, nella oreficeria, nell'intaglio, ecc.; ma anche queste opere presuppongono l'importazione in larga scala di mercanzie d'arte straniere di materia deperibile, come oggetti lignei e specialmente tessuti, purtroppo perduti. Ben poco di simile s'incontra nelle colonie greche della Sicilia e della Magna Grecia. Evidentemente le metropoli etrusche si trovano in condizioni economiche e politico-sociali ben diverse da quelle del mondo coloniale greco almeno nel periodo in questione. La Grecia stessa offre del resto trovamenti paragonabili a quelli dell'orientalizzante etrusco soltanto nei ricchi santuari, laddove in Etruria essi appaiono accumulati essenzialmente nelle tombe di personaggi socialmente preminenti.

Il fenomeno orientalizzante presuppone una intensa frequentazione del mare prospiciente l'Etruria e in genere dei mari attorno all'Italia non soltanto da parte di navigatori greci e probabilmente fenici, ma anche da parte degli stessi Etruschi. A tal proposito va ricordato che sin dal periodo villanoviano deve essere esistita una corrente di traffico marittimo dalle coste dell'Etruria meridionale a quelle del Salernitano, se la somiglianza delle culture non c'inganna. Presenze così remote nei mari del sud non dovrebbero essere inverosimili tenuto conto della notizia dello storico Eforo (in Strabone VI, 2,2) circa l'attività di pirati tirreni lungo le coste orientali della Sicilia prima della colonizzazione greca. La pirateria etrusca è un luogo comune radicato nella letteratura greca già a partire dall'Inno « omerico » a Dioniso. Ma ben s'intende che la guerra di corsa dovette essere in quei tempi soprattutto guerriglia marittima di offesa e di logoramento fra potenze e imprese rivali. Nell'ambito della stessa colonizzazione greca si ricorda che il primo insediamento di Zancle sarebbe stato costituito da "pirati" di Cuma, probabilmente proprio per tentare di sbarrare lo stretto di Messina ai "pirati" etruschi.

Per tutta la navigazione commerciale di cabotaggio

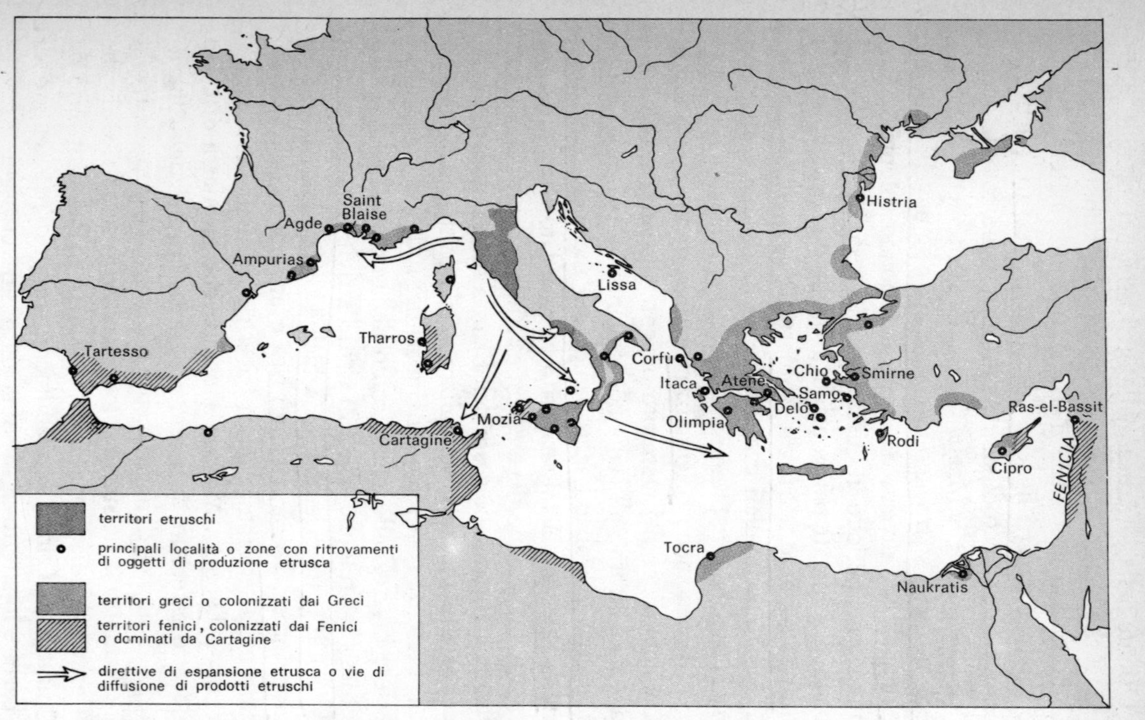

Fig. 5 - Espansione commerciale etrusca nel Mediterraneo (VII-prima metà del VI secolo a.C.).

lungo le coste tirreniche e per ogni eventuale azione marittima verso la Sicilia gli scali della Campania debbono aver avuto una importanza rilevantissima. Questa regione, felice per approdi oltre che per feracità, sembra aver assunto sin dagli albori dei tempi storici una funzione di cerniera tra le due espansioni etrusca e greca. Dai primissimi contatti con il litorale del Golfo di Salerno, dove il centro principale, o a noi meglio noto, è Pontecagnano e dove esisteva la « colonia » di Marcina (di ancora incerta ubicazione, forse a Vietri), gli Etruschi consolidarono ed estesero il loro dominio alla penisola sorrentina e alle foci del Sarno, con Castellammare e Pompei, quindi all'intera pianura campana alle spalle delle colonie greche del Golfo di Napoli, dove fioriranno in più o meno avanzata epoca storica le città di Nocera, Nola, Acerra, Suessula e specialmente Capua divenuta la capitale dell'Etruria campana.

Già da quanto fin qui accennato possiamo dedurre che l'attività marittima degli Etruschi dovette essere estesa e temibile, con una intensità che presumiamo crescente con il passaggio dalla fase villanoviana alla fase orientalizzante. Le fonti letterarie antiche parlano esplicitamente di un dominio del mare, di una talassocrazia, e menzionano la presenza etrusca, oltre che in Campania, alle Lipari, sulle coste della Sicilia, in Sardegna, in Corsica, persino nelle Isole Baleari e in Spagna. Ma da questi cenni frammentari, vaghi, talvolta sospetti, sarebbe difficile desumere una precisazione cronologica e la effettiva portata geografica degli avvenimenti. Le scoperte di prodotti etruschi (specialmente buccheri, vasi dipinti di stile etrusco-corinzio, anfore) lungo le coste della penisola italiana, nelle grandi isole che chiudono il Tirreno, nei centri litoranei della Francia meridionale e della Spagna, a Cartagine e inoltre in Grecia e in altre zone del Mediterraneo orientale non dimostrano, in sé, se non l'estensione di scambi commerciali in cui l'Etruria, prevalentemente importatrice di manufatti, ne appare a sua volta limitatamente esportatrice; ma può trattarsi, e certo in molti casi si tratta, di trasmissioni indirette. Tuttavia una certa coincidenza dei mercati d'acquisto specialmente occidentali con gli accenni delle fonti suggerisce la possibilità di una dilatazione della navigazione, se non del controllo, degli Etruschi anche oltre la sfera del Mar Tirreno. La maggior parte di questi oggetti esportati si data tra la  fine del VII e i primi decenni del VI secolo: sembra, dunque, almeno in parte anteriore alla fondazione di Massalia da parte dei Focei (circa il 600 a.C.). Tutto porta a credere che i tempi della massima vitalità e diffusione della talassocrazia etrusca debbano essere riportati almeno al VII secolo, cioè ad un periodo in cui il sistema di penetrazione coloniale greca in Occidente era ancora in via di impianto e di consolidamento e la colonizzazione fenicia non aveva assunto l'impulso unitario e dinamico promosso dall'egemonia di Cartagine.

Alla espansione marittima corrisponde quella terrestre in Italia. Evidentemente non dobbiamo lasciarci suggestionare da certe affermazioni degli scrittori antichi come quella famosa di Catone (in Servio, *ad Aen.*, XI, 584) « in Tuscorum iure pene omnis Italia fuerat » (quasi tutta l'Italia era stata sotto il dominio degli Etruschi) – riecheggiante in forma più cauta, ma più particolareggiata, in Livio (I, 2; V, 33), che ricorda la potenza, la ricchezza e la fama degli Etruschi sul mare e sulla terra dalle Alpi allo stretto di Messina –; né immaginare un impero etrusco quasi come un primo tentativo di unificazione della penisola, prefigurante la futura conquista di Roma. Quali che siano state le vicende iniziali dei movimenti espansivi, che si perdono nella penombra della protostoria, si dovrà comunque probabilmente pensare a singole iniziative prevalentemente ispirate a moventi di controllo economico-commerciale, sia pure con tutte le relative implicazioni politiche e militari e i loro corollari di prestigio culturale; si avverte anche un certo sviluppo delle azioni terrestri in funzione degl'interessi marittimi. In ogni modo è un fatto certo (per le eloquenti testimonianze che ci offre la storiografia antica e per i dati archeologici, epigrafici, toponomastici, ecc.) che gli Etruschi occuparono e dominarono, oltre il loro proprio territorio fra il corso del Tevere e l'Appennino Tosco-Emiliano, anche il Lazio e la Campania (o almeno parte notevole del Lazio e della Campania) e di là dall'Appennino l'Emilia e la Romagna; si aggiunga qualche limitata, più o meno breve e tuttora mal definibile penetrazione oltre il Po e lungo la costiera ligure.

Contrariamente a quanto potrebbe logicamente immaginarsi, la penetrazione degli Etruschi nel Lazio (s'intende il Lazio nell'accezione antica a sud del Tevere), confinante con l'Etruria, è posteriore ai contatti con la più lontana Campania. Ciò si spiega appunto per il fattore primario degl'interessi marittimi che avevano sospinto gli Etruschi ab antiquo sulle coste della bassa Campania. Soltanto in un secondo tempo, verosimilmente anche per il consolidarsi e l'ampliarsi del dominio etrusco nel territorio campano, si sarà sentita la necessità di una continuità di contatti attraverso il Lazio, interposto fra Etruria e Campania, anche per la via terrestre interna delle valli del Sacco e del Liri. Di qui, se non una integrale conquista, almeno il controllo dei centri e delle vie principali. Ne constatiamo i segni nei corredi orientalizzanti delle tombe principesche di Palestrina, l'antica Praeneste, che sembrano indicare la presenza di dinasti etruschi (c'è anche una iscrizione etrusca): si datano nella prima metà del VII secolo; altri trovamenti affini più o meno coevi sono stati fatti a Lavinio e a Satrico. Quanto a Roma la tradizione collocava nell'anno 616 a.C. l'inizio di una monarchia etrusca con l'avvento al potere di Lucio Tarquinio Prisco proveniente da Tarquinia: non volendo dubitare di questa data, sia pure approssimativa, si noterà un certo ritardo rispetto agli altri indizi di presenza etrusca nel Lazio testé menzionati, ritardo tanto più sconcertante in quanto Roma era la più vicina all'Etruria; ma la spiegazione è forse da trovare nel fatto che Roma era stata fin dall'VIII secolo la punta avanzata di una penetrazione di Sabini, di stirpe italico-orientale, discesi lungo la valle del Tevere, i quali poterono aver costituito un serio ostacolo alla penetrazione etrusca (si ricordi che secondo la tradizione il predecessore di Tarquinio Prisco era un re di stirpe sabina, Anco Marcio, e che gran parte delle imprese militari di Tarquinio Prisco si sarebbe svolta contro i Sabini). Il periodo che, sempre secondo la tradizione, potremmo definire di Tarquinio Prisco, tra la fine del VII e i primissimi decenni del VI secolo ci mostra, archeologicamente parlando, il "farsi" della città con le sue prime costruzioni monumentali, come alla Regia e al Comizio nel Foro; si aggiungano le notizie delle fonti sull'impianto del tempio di Giove Capitolino e delle mura. Terrecotte architettoniche e oggetti tardo-orientalizzanti mostrano una sicura influenza etrusca. La storicità del re, come di sua moglie Tanaquil (dal tipico prenome etrusco) e in genere dei fondatori della dinastia dei Tarquinii, non dovrebbe esser posta in dubbio; probabilmente vi fu un'aristocrazia di origine etrusca installata ai piedi del Campidoglio in quello che sarà poi chiamato *vicus Tuscus*, non lontano dal quale, nell'area sacra di S. Omobono, si è raccolta una placchetta d'avorio in figura di leoncino inscritta con il nome di Araz Silqetenas Spurianas, personaggio forse proveniente anch'egli da Tarquinia. Ma le iscrizioni etrusche sono private, mentre per un monumento pubblico come il cippo del *Lapis Niger* nel Foro Romano, contenente prescrizioni sacre per il re del Comizio e databile in questa stessa epoca, la lingua impiegata è il latino: indizio di una etruschizzazione soltanto parziale.

Più complessi sono i problemi che riguardano la dominazione etrusca nell'Italia settentrionale, che gli antichi videro nella forma e secondo gli schemi di una vera e propria colonizzazione, con dodici città corrispondenti alla *dodekápolis* dell'Etruria tirrenica. Che tale colonizzazione si credesse molto antica sarebbe dimostrato dalla leggenda della presenza di Tarconte, l'eroe fondatore di Tarquinia.

Ora noi abbiamo già espresso l'opinione che un elemento etrusco intorno a Bologna e in Romagna (a Verucchio, San Marino) debba considerarsi presente sin dagli inizi dell'età del ferro, rappresentato dalla cultura villanoviana locale, palesemente intrusiva e di derivazione tirrenica. La teoria corrente di una « conquista » etrusca soltanto verso la fine del VI secolo sembra ora tra l'altro contraddetta dalla individuazione di una iscrizione etrusca sopra un vaso tardo-villanoviano di Bologna databile all'incirca intorno al 600 a.C.; ed è curioso che verso questa stessa data si collocherebbe, secondo la tradizione di Livio, una disfatta degli Etruschi da parte dei Galli irrompenti nella pianura padana addirittura presso il fiume Ticino: ciò che porterebbe ad immaginare velleità di espansione molto precoci e molto lontano, cosa tutto sommato non impossibile. L'avvento della civiltà etrusca detta « della Certosa » in sostituzione del tardo villanoviano della fase Arnoaldi può essere spiegato come un fenomeno di attivazione dell'etruschismo transappenninico, in rapporto ad una nuova massiccia gravitazione di interessi del mondo etrusco verso gli sbocchi adriatici in conseguenza della crisi economico-politica nel Tirreno (di cui si dirà più avanti), con fatti di colonizzazione intensiva e con la nascita delle città (Felsina cioè Bologna, Marzabotto, Spina). Ma anche questo sarà argomento di ulteriore discorso.

Potrà essere interessante considerare a questo punto la situazione del resto del territorio italiano, peninsulare e continentale, e dei suoi abitatori. Storicamente si pone in via pregiudiziale il problema dei rapporti fra coloni e indigeni nei paesi investiti dalle colonizzazioni. Ciò vale soprattutto per i Greci stabilitisi sulle coste dell'Italia meridionale; ma riguarda anche, più o meno negli stessi termini, gli Etruschi specialmente là dove essi si presentarono come colonizzatori dal mare (in Campania e forse in Liguria): più complesso è infatti il tema degl'incontri territoriali interni fra Etruschi e non Etruschi lungo i confini fluviali, come il

Tevere che catalizzò grosso modo ab antiquo (salvo l'enclave falisca) la separazione dei primi dai Latini, dai Sabini e dagli Umbri, e come il Po e l'Adige che li divisero dai Veneti (per cui Este si contrappose dai Colli Euganei, oltre la piana, a Bologna villanoviano-etrusca che la fronteggiava dalle pendici appenniniche). In sostanza esiste una generale dialettica, ricca di implicanze e di conseguenze storiche, tra gl'immigrati costieri con la loro dinamica organizzatrice e incivilitrice e le popolazioni interne staticamente attardate nelle loro condizioni di vita subpreistoriche. Tale dialettica si manifesta in un processo di varia e graduale sollecitazione culturale da parte dei primi, di imitazione, più volenterosa o più torpida a seconda dei casi, da parte delle seconde; di più o meno profonda e sconvolgente penetrazione diretta nel retroterra attraverso le valli fluviali (è il caso tipico della Basilicata e della Campania); di suggestione e di attrazione dei montanari sprovveduti verso i favolosi centri di civiltà delle coste: donde poi avranno origine quei grandiosi movimenti reattivi che caratterizzeranno la seconda grande epoca della storia dell'Italia preromana.

Gli abitatori del litorale adriatico cominciano ora ad entrare nella luce della storia con una propria iniziale coscienza etnica ed una certa caratterizzazione culturale. A sud nella Puglia gli Iapigi o Apuli, eredi di un precoce sviluppo paleoitalico e aperti per la loro posizione geografica ad antichi impulsi mediterranei e transadriatici, ne trassero aspetti relativamente progrediti di organizzazione protourbana (poi anche veramente urbana), di decorazione geometrica, di arte figurativa (quale appare nell'esplosivo fenomeno delle stele funerarie della zona intorno a Siponto in provincia di Foggia, recentemente rivelato all'attenzione degli studiosi); ma in pari tempo dimostreranno, in età arcaica ed anche oltre, un certo isolamento rispetto a quella che avrebbe dovuta essere la travolgente influenza dei vicinissimi centri coloniali greci, segnatamente Taranto (lo vedremo manifestarsi anche in ostilità politica). Al centro s'incontrano i possessori della civiltà tradizionalmente chiamata «picena» e che oggi meglio è detta medio-adriatica, fiorita tra l'VIII e il V secolo, fortemente recettiva di spunti orientalizzanti e greco-arcaici forse anche mediati dall'Etruria, e caratterizzata tra l'altro, in fase relativamente avanzata, da una rozza scultura in pietra di cui l'esempio più caratteristico è il famoso guerriero di Capestrano: nella maggior parte di questa popolazione tendiamo oggi a riconoscere, specialmente sulla base dei dati epigrafico-linguistici, la manifestazione più precocemente evoluta degli Italici orientali e specificamente dei Sabini. A nord i Veneti ci appaiono in sé conchiusi e fedeli alla loro tradizione etnica, culturale, territoriale dall'inizio dell'età del ferro alla conquista romana: tra le loro manifestazioni produttive emerge, comune anche ad altre popolazioni alpine, quella peculiare toreutica di bronzo figurata che va sotto la denominazione di «arte delle situle» e che risulta permeata di elementi centroeuropei, orientalizzanti, etruschi, greci. Le popolazioni interne della penisola (siano di origine enotrio-ausonia o anch'esse di stirpe iapigia o italico-orientale) subirono variamente influssi dal Mezzogiorno greco, dall'ambiente tirrenico e da quello adriatico: nel loro sviluppo ancora informe talvolta ne imbarbarirono i modelli artistici, talvolta li accolsero intatti o li elaborarono ecletticamente, come è il caso della singolare fioritura arcaica di Melfi, in territorio daunio occidentale, attualmente in Basilicata. Ma tutto questo mondo era ancora storicamente passivo. Esso attendeva la prossima ora del suo risveglio.

Impulsi greco-orientali e sviluppo delle colonie greche e dei centri tirrenici.

L'ultima ondata delle navigazioni e della colonizzazione greca a partire dalla fine del VII secolo, con le spedizioni dei Samii e dei Focei dalla Grecia orientale verso occidente, aprì una nuova fase nelle vicende dell'Italia arcaica. La fondazione di Massalia e degli altri empori del litorale ligure e del Golfo del Leone venne a creare praticamente un secondo fronte alle spalle del campo d'azione della marineria etrusca, favorendo un alleggerimento della sua pressione verso il Tirreno meridionale. D'altra parte in questo stesso periodo Cartagine si avviava a raccogliere saldamente nelle sue mani le diverse esperienze dell'antica colonizzazione fenicia d'Occidente e a serrare monopolisticamente il controllo e l'accesso dell'estremo Mediterraneo occidentale. Due avvenimenti possono simboleggiare la fine della fase espansiva della talassocrazia etrusca e, con il suo arresto, l'inizio di un declino: da un lato l'evento, non datato e forse in parte di sapore leggendario, della preclusione cartaginese ad un progetto di spedizione colonizzatrice etrusca oltre le Colonne d'Ercole verso una favolosamente fertile isola atlantica, narrato da Diodoro Siculo (V, 19 ss.); da un altro lato la installazione dei Cnidii e dei Rodii nelle Isole Eolie intorno al 580 a.C., che viene a costituire una sorta di antemurale greco a protezione della Sicilia e dello stretto. L'importanza strategica di questa occupazione si misura considerando l'accanimento degli sforzi compiuti dagli Etruschi per strappare ai coloni liparesi il possesso dell'arcipelago, parecchie volte (stando alla notizia di Strabone, VI, 2,10) probabilmente per tutta la durata del VI secolo e oltre, con ripetuti insuccessi di cui abbiamo una larga eco nelle fonti storiche e perfino testimonianze epigrafiche dai donari dei Liparesi nel santuario di Delfi.

Al dinamismo potenzialmente illimitato delle prime navigazioni e colonizzazioni greche, fenicie, etrusche – di cui le imprese ad amplissimo raggio dei Greci d'Asia, provenienti dall'estremo opposto del mondo ellenico, rappresentano la più recente e tardiva manifestazione – vediamo ora a poco a poco sostituirsi una tendenza a delimitare e consolidare particolari sfere d'influenza marittima e terrestre, commerciali e politiche. Sembra affermarsi cioè, nell'area italica intesa in senso lato e specialmente nel Tirreno, un sistema di equilibrio tra la potenza delle città greche, delle città etrusche e di Cartagine, che è senza dubbio complesso e instabile come vedremo subito, ma vale comunque a favorire tradizioni di rapporti diplomatici, religiosi, culturali, artistici, economici sempre più intensi, a creare una vera e propra vita internazionale, a diffondere spunti di civiltà comune, a determinare uno sviluppo elevatissimo dei singoli centri indipendentemente dalla loro appartenenza etnica.

È un fatto interessante, e di positiva importanza storica, che proprio l'accentuarsi di contatti diretti con il mondo greco-orientale, specialmente con la Ionia, abbia avuto una influenza determinante sul progresso di queste comunità d'Italia e su molti aspetti unitari della loro civiltà nel corso del VI secolo. Non si tratta soltanto dell'avvento di pionieri, mercanti, colonizzatori più o meno numerosi ed organizzati – a cominciare da quei navigatori partiti dall'eolica Focea che, sulla via aperta dall'arditissima crociera della nave « samia » di Kolaios, attrezzati con grossi vascelli da lungo corso, avevano "scoperto" le regioni adriatiche, l'Etruria, l'Iberia e Tartesso (Erodoto, I, 163) –; ma anche dell'instaurarsi di stabili linee di navigazione commerciale e di rapporti di amicizia come quelli, intimissimi, che legavano Sibari a Mileto; della circolazione e della immigrazione di personalità della cultura, quali risultano dall'esempio del poeta Ibico di Reggio accolto per un certo periodo a Samo dal tiranno Policrate e da quello, soprattutto insigne, di Pitagora trasferitosi a sua volta, in modo definitivo, da Samo in Italia (intorno al 530 a.C.); certamente anche della presenza di artisti e artigiani ionici attratti dalle possibilità di lavoro nelle floridissime città occidentali, segnatamente dell'Etruria, dove la loro traccia è documentata dalla stessa produzione (basti ricordare la scuola ceramica delle idrie di Caere); infine degli scambi di merci e in particolare della massiccia importazione di oggetti lavorati greco-orientali, tra cui i più frequenti dovevano essere vasi (in ispecie le coppe a fasce dipinte trovate quasi dovunque in Italia) e tessuti (perduti, ma ricordati largamente dalla tradizione), mentre altre più preziose opere figurative contribuivano alla trasmissione di nuove correnti del gusto.

L'arte ionica, molle, estrosa, incline al realismo, sostituendo quasi dovunque dalla metà del secolo i rigorosi schemi della pittura e della scultura di tradizione dedalico-peloponnesiaca, tende a dare un'impronta comune al linguaggio figurativo dei centri della Magna Grecia e dell'Italia tirrenica, trovando un terreno particolarmente accogliente – e si direbbe congeniale – in Etruria. Le mode raffinate, il lusso, l'effeminatezza, la *habrosyne* asiatica, si diffondono tra le classi elevate di queste città: diventano una caratteristica proverbiale di Sibari e di Siris; si riflettono nei costumi dei personaggi raffigurati nelle pitture di Tarquinia. È da presumere che anche la vita religiosa e intellettuale delle più vivaci comunità costiere del Mar Ionio e del Mar Tirreno fosse permeata dagli impulsi di civiltà provenienti dal mondo greco-orientale; e che in essi penetrassero più o meno profondamente la poesia, le curiosità scientifiche, gli spunti speculativi della grande Ionia arcaica. Tra i fatti più significativi di questa *koiné* culturale greco-tirrenica germinante sotto la comune influenza ionica deve essere segnalato proprio l'insegnamento di Pitagora a Crotone, con il successo e la straordinaria risonanza del movimento dottrinario e politico-sociale che ne fu conseguenza ed al quale parteciparono seguaci entusiasti provenienti non soltanto da ogni parte della Magna Grecia e della Sicilia, ma anche dall'Etruria e da Roma (tanto che lo stesso re Numa Pompilio poté da certe versioni antiche, seppure anacronisticamente, essere annoverato tra i discepoli del filosofo di Samo). S'inizia così quella che Aristotele definì la «scuola italica». Un altro filone del pensiero ionico trapiantato quasi contemporaneamente in Italia nella neofondazione di

Velia (di cui si tornerà a dire subito) con Xenophanes di Kolophon darà i prodigiosi frutti della filosofia eleate.

Tutta questa effervescenza ha le sue premesse nella prosperità economica raggiunta dalle colonie dell'Italia meridionale e dalle città del litorale tirrenico. Delle vicende dei loro reciproci rapporti, delle loro rivalità, delle espansioni, delle tentate egemonie, nonché delle attività legislative interne, delle forme assunte dal reggimento della *polis*, degli sviluppi e dei conflitti sociali e politici si cominciano ad intravedere, per questo periodo, alcuni lineamenti meglio documentati dalle fonti storiche ed epigrafiche (anche se ovviamente in modo di gran lunga meno circostanziato che per la Grecia contemporanea e, per quel che concerne i centri anellenici eccettuata Roma, sempre in forma generica e indiziaria).

Tra queste città ci appaiono ora soprattutto preminenti per estensione, monumentalità o rilevanza demografica, economica, politica sulla costiera ionica, da oriente verso occidente, Taranto, Metaponto, Siris, Sibari, Crotone, Locri; sullo stretto, Reggio; sul versante tirrenico, Posidonia, Cuma, Roma, Caere, Tarquinia, Vulci, Populonia. Esse tendono a proteggere e ad estendere i loro traffici marittimi, ad accaparrarsi sempre nuovi mercati d'acquisto per i loro prodotti agricoli o artigianali, a crearsi territori retrostanti di protezione o di dominio. Mancando per quel che sappiamo un sistema di cooperazione stabile tra le colonie della Magna Grecia, anche della medesima stirpe come le achee, era naturale che esse fossero portate a neutralizzarsi o a sopraffarsi vicendevolmente. Il predominio sull'odierna Calabria a sud dell'istmo – l'originaria e propria « Italia » – restò assicurato a Reggio e a Locri, specialmente dopo la sconfitta che quest'ultima con l'aiuto dei Regini inflisse ai Crotoniati sul fiume Sagra (intorno alla metà del VI secolo). Quasi contemporaneamente le città del golfo avevano battuto e distrutto la ionica Siris. Poteva così affermarsi e consolidarsi soprattutto il primato di Sibari, che assumeva una posizione egemonica tra le colonie achee, imponeva la propria supremazia sopra un vasto territorio esteso al versante tirrenico, con i centri amici e fedeli di Laos, Pyxus, Posidonia, e portava la sua influenza fino alle soglie della Campania, assurgendo a massima potenza del Mezzogiorno della penisola.

All'acme di Sibari nella Magna Grecia fa riscontro – e probabilmente anche in parte si ricollega – quella di Caere e di Vulci in Etruria; potremmo dire anzi che l'importanza, in un certo senso di portata mediterranea, raggiunta da queste città sia caratterizzante di una fase della storia dell'Italia arcaica tra la prima metà e i decenni centrali del VI secolo. Per molti indizi, principalmente archeologici ma anche desunti dalla tradizione, siamo indotti a ritenere che ad una precoce fioritura, e forse anche ad una corrispondente predominanza politico-economica, di Tarquinia e di Vetulonia nell'VIII-VII secolo si fosse aggiunto e quindi sostituito il prestigioso sviluppo di Caere attestato dai suoi monumenti del medio e tardo periodo orientalizzante, con riflessi nell'entroterra e nel Lazio. Il rigoglio di Vulci nella prima metà del VI secolo si rivela a sua volta dalla intensa esportazione dei suoi prodotti ceramici anche fuori dell'Etruria, come a Roma e a Cartagine. Un riflesso delle lotte per l'egemonia nell'Etruria meridionale e nel Lazio si può cogliere nelle notizie, adombrate da fonti letterarie, epigrafiche e figurate (soprattutto i dipinti della Tomba François di Vulci), relative alle imprese dei fratelli vulcenti Aulo e Celio Vibenna (Aule, Caile Vipinas) e del loro amico Mastarna (Macstrna) contro i Tarquinii di Roma ed altri prìncipi alleati, che portò ad un temporaneo installarsi del loro potere su Roma: a proposito del quale è da rilevare la tradizione, ricordata dall'imperatore Claudio, che identificava Mastarna con il re Servio Tullio.

Conflitti per il controllo del Tirreno.

Su un più vasto teatro internazionale il presumibile equilibrio raggiunto tra le città dell'Etruria meridionale e quelle della Magna Grecia appare insidiato dall'esterno, come già si è accennato, dai Focei e da Cartagine. I primi, fondatori della colonia di Alalia sulla costa orientale della Corsica, rinforzati dai profughi di Focea presa dai Persiani (545 a.C.), minacciavano ormai da vicino i mari e le coste antistanti dell'Etruria. Del pari dovettero trovarsi a contrastare le pretese di Cartagine al dominio della Sardegna – già colonizzata parzialmente dai Fenici ab antiquo (cioè almeno dall'VIII secolo) –, specialmente se il nome di Olbia sulla costa nord-orientale di quest'isola denuncia la presenza di una tentata installazione focea. Tutto ciò portò ad una coalizione militare degli Etruschi (di Caere o sotto il leadership di Caere) e dei Cartaginesi, le cui flotte di sessanta navi ciascuna si scontrarono con quella, pure di sessanta navi, dei Focei di Alalia nelle acque del Mare Sardo (forse attorno alle Bocche di Bonifacio) in una memorabile battaglia descritta da Erodoto (I, 166), che la definisce per i Greci «vittoria cadmea». Infatti essa ebbe come conseguenza l'abbandono di Alalia, ormai probabilmente indifendibile, da parte dei Focei, che migrando per mare tentarono invano di stabilirsi a Reggio e quindi fondarono sulle coste del Cilento la colonia di Velia, con il presumibile beneplacito della vicina Posidonia.

Si ebbe così – quali che siano i dubbi recentemente espressi in proposito – una divisione di sfere d'influenze fra gli Etruschi che occuparono almeno le coste orientali della Corsica fondandovi una loro colonia forse nel sito stesso di Alalia con il nome greco di Nicea, e i Cartaginesi che ebbero mano libera in Sardegna. La conquista territoriale di quest'ultima incontrava tuttavia gravissime difficoltà per la resistenza degli indigeni, gli Iliei, la cui evoluta organizzazione è dimostrata archeologicamente dallo sviluppo monumentale delle fortezze, dei borghi, dei santuari della civiltà nuragica giunta alla sua massima fioritura nei primi secoli del I millennio a.C. Dopo il fallimento di una spedizione cartaginese guidata da Malchos (« il re »?) da collocare intorno alla metà del VI secolo, l'assoggettamento dell'isola poté esser compiuto faticosamente verso la fine del secolo specialmente per opera di Asdrubale e Amilcare figli di Magone. Che in questo periodo singole comunità indigene o una loro federazione abbiano tentato anche azioni diplomatiche volte ad ottenere aiuto dai Greci d'Italia potrebbe essere supposto da una iscrizione su lamina di bronzo trovata ad Olimpia, che menziona l'intesa tra Sibari con i suoi alleati e i « Serdaioi », auspice la città di Posidonia (purché qui si tratti effettivamente, come crediamo, dei Sardi e non di altra gente o città dal nome affine). Se è esistito effettivamente un legame fra i Sardi e Sibari, non si può escludere che la caduta di quest'ultima città nel 510 a.C., come vedremo, abbia favorito la conquista dell'isola da parte dei Magonidi: le date coincidono. L'interesse dei Greci per la Sardegna e i loro rapporti con le popolazioni locali sono dimostrati del resto dal fallito progetto di colonizzazione panionica dell'isola affacciato da Biante al momento della conquista persiana dell'Asia Minore, cioè contemporaneamente alla fuga dei Focei verso la Corsica (ripreso quasi cinquant'anni più tardi da Istieo ai tempi della rivolta ionica, come vecchio sogno irrealizzabile per l'ormai avvenuta preclusiva occupazione cartaginese), nonché dalle tradizioni leggendarie che insistentemente collegavano il mondo nuragico a mitici eroi greci quali Aristeo e Dedalo.

È in questo stesso periodo che Cartagine comincia ad imporre la sua *epikráteia*, il suo dominio territoriale, oltre che sulla Sardegna, anche sulla Sicilia occidentale, ma a quanto sembra in accordo con la popolazione indigena degli Elimi e in evidente funzione antiellenica. Si determinano così le condizioni per quella contrapposizione tra Cartaginesi e Greci in Sicilia che durerà quasi tre secoli e avrà conseguenze di incalcolabile portata per la storia dell'Italia antica. Lo stabilizzarsi dei domini marittimi e terrestri, cui si è già fatto cenno, comporta una serie di conflitti su teatri obbligati, così come una serie di alleanze più o meno stabili o riaffioranti con gli stessi motivi.

In questa politica di blocchi s'inquadrano le testimonianze storiche – principalmente il famoso passo di Aristotele, *Polit.*, III, 9,1280a – sui trattati di amicizia, di commercio e di alleanza fra Etruschi e Cartaginesi, confermati dall'abbondante presenza di oggetti etruschi a Cartagine, compresa una iscrizione che nomina questa città (cui fa riscontro ora la lamina d'oro scritta in fenicio di Pyrgi, di cui si dirà tra breve). È verosimile che si tratti di relazioni amichevoli, di atti di collaborazione e di concreti strumenti diplomatici da collocare in un vasto arco di tempo tra il VI e il IV secolo e riferibili ad un comune generale interesse di opposizione alla potenza militare e commerciale dei Greci. Ma anche per questo non sarà il caso di credere che si sia trattato di un'intesa unitaria, rigida e costante. Pur contemplando la possibilità che le città etrusche abbiano potuto già in età arcaica condurre sovente una politica associata, forse anche istituzionalizzata in una sorta di *koinón* analogo a quello delle città della Ionia asiatica – dalle quali esse traevano tanti elementi di civiltà –, come si sa per un periodo più tardo a proposito del "congresso" degli stati etruschi al Fanum Voltumnae, dobbiamo comunque riconoscere che esse erano *poleis* indipendenti e talvolta discordi, e che pertanto dovevano sussistere almeno formalmente rapporti diplomatici distinti di ciascuna di esse con l'unica "polis" di Cartagine (pur già capitale di un vasto impero). Si aggiunga anche il possibile diverso giuoco delle tendenze e correnti interne. Sembra dunque presumibile che non siano mancate posizioni divergenti nei riguardi della grande rivalità tra Greci e Cartaginesi; e che ad una naturale convergenza d'interessi, quale si era rivelata ad esempio nella guerra contro i Focei di Alalia, si siano altre volte contrapposti singoli interessi distinti, per esempio di utili correlazioni commerciali, o ragioni di fedeltà e di rispetto di fronte al prestigio culturale o religioso del mondo greco. Di queste esitazioni può essere forse un esempio il caso delle solenni espiazioni, comandate dall'oracolo di Delfi, cui si sottopose Caere in seguito al massacro dei prigionieri focei dopo la battaglia del Mare Sardo e alla prodigiosa calamità che ne era derivata, sempre secondo il racconto di Erodoto. Si ricordi a tal proposito che esistevano *thesauròi* e donari etruschi a Delfi e ad Olimpia.

Né va escluso che la crescente potenza cartaginese abbia potuto talvolta imporre forzatamente una propria politica, se non addirittura una supremazia, come alle genti delle isole, così anche a comunità della penisola, almeno in determinate condizioni; e comunque che la presenza delle navi di Cartagine si sia fatta sentire sulle coste italiane in forma di razzie o con altre minacce. Che le intese tra il mondo etrusco e il mondo punico non debbano essere state sempre un rapporto da pari a pari si presume considerando il progressivo restringersi del raggio d'azione politico e navale degli Etruschi nelle loro acque del Tirreno settentrionale, dopo la stessa battaglia del Mare Sardo e in seguito ai ripetuti scacchi alle Eolie. Ne abbiamo una prova dalla situazione rispecchiata dalle clausole dell'unico trattato stipulato tra una città del Tirreno (legata al mondo etrusco) e Cartagine di cui la tradizione storica ci abbia conservato il testo – da un documento scritto in lettere e in lingua arcaiche – e la cui datazione nell'ultimo quarto del VI secolo
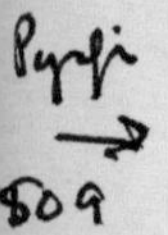
non dovrebbe più oggi sollevare dubbi: vogliamo dire il primo trattato tra Roma e Cartagine (Polibio, III, 22). Esso implica una graduata libertà di commercio marittimo nel Tirreno, con limitazioni per i mari della Sardegna e dell'Africa e totale preclusione del Mediterraneo occidentale; fa menzione inoltre di scorrerie cartaginesi sulle coste del

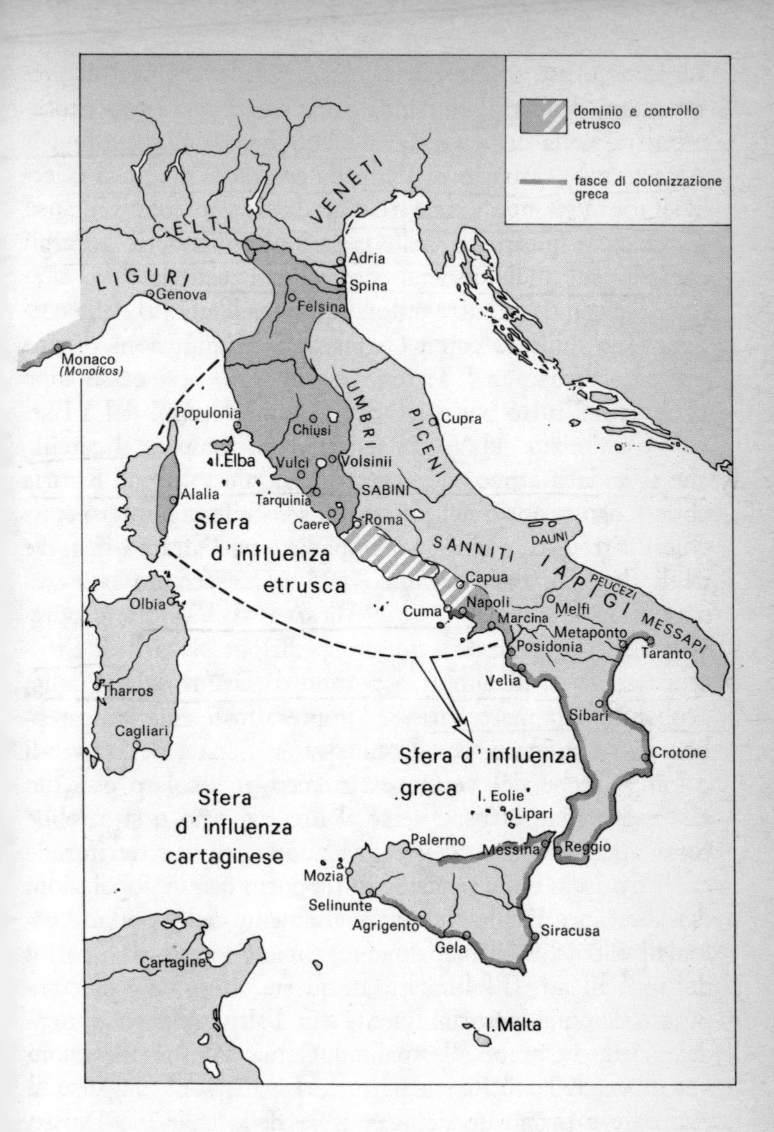

Fig. 6. - Sfere d'influenza verso la fine del VI secolo a.C.

Lazio. Un caso di diretta influenza politica, se non di protettorato, di Cartagine sull'Etruria va riconosciuto probabilmente nella dedica di un « luogo sacro » alla dea fenicia Astarte nel santuario di Pyrgi da parte del « re » di Caere Thefarie Velianas, quale risulta dal documento bilingue, in fenicio e in etrusco, delle lamine d'oro scoperte a Pyrgi: episodio sul quale avremo occasione di tornare.

Sia come iniziative autonome sia nell'àmbito della cooperazione militare con i Cartaginesi, le ambizioni di una presenza etrusca nel Tirreno meridionale non cesseranno tuttavia del tutto nel corso degli ultimi decenni del VI secolo e all'inizio del V. Un tentativo di rompere il cerchio che si andava a poco a poco stringendo attorno all'Etruria ebbe luogo proprio nel punto più sensibile dell'intero scacchiere tirrenico, e cioè in Campania, con l'attacco in forze degli Etruschi contro Cuma (525 a.C., secondo la « cronaca cumana » in Dionisio d'Alicarnasso, VII, 3); è notevole che a proposito di questa spedizione si parli di Etruschi del nord, di Umbri e perfino di Dauni delle Puglie, probabilmente mercenari. Se l'impresa fosse riuscita, sarebbe stato eliminato, con la più settentrionale delle grandi colonie greche del versante tirrenico, il secolare ostacolo alla espansione etrusca verso il Mezzogiorno e si sarebbe forse aperto lo sbocco per una nuova politica territoriale degli Etruschi nella penisola in rapporto con le popolazioni dell'interno e in funzione di aggiramento delle potenze coloniali elleniche, principalmente, come è logico, di Sibari e dei suoi alleati. Il fallimento di questa offensiva è da computare dunque verosimilmente tra l'altro alla solidarietà delle città che erano alle spalle di Cuma. Più lontane azioni navali verso la Sicilia, a parte le Lipari, sono vagamente ricordate a proposito delle imprese dello spartano Dorieo nella Sicilia occidentale (intorno al 510). Tornando alla Campania, si può immaginare che altri tentativi contro Cuma siano stati compiuti dalle città etrusche tra la fine del VI e il principio del V secolo: vedremo, di queste possibili offensive, il fallimento finale nella battaglia navale del 474 a.C.

Sviluppi istituzionali e rottura degli equilibri politici: la fase dei tiranni.

La crisi che si determina in tutta l'area italiana sul finire del VI secolo e caratterizza la fase finale dell'età arcaica ha le sue premesse non soltanto negli sviluppi delle situazioni politiche internazionali fin qui delineate, ma anche nel processo di definizione e di trasformazione delle società e delle istituzioni delle città del mondo greco-tirrenico protagoniste della storia arcaica dell'Italia.

È difficile formarsi idee chiare sulla organizzazione sociale e politica delle colonie al momento della loro fondazione o nei tempi più antichi, come pure delle comunità anelleniche della Campania, del Lazio, dell'Etruria in via di costituzione come *poleis* ad imitazione delle città greche (per le quali esistono dati particolareggiati, benché retrospettivi e di autenticità più o meno discutibile, soltanto nelle fonti relative alla storia primitiva di Roma). Senza dubbio si ebbero forme assai varie. Ma è da presumere che l'accentramento delle ricchezze specialmente fondiarie e del potere nelle mani di alcune famiglie (*gene* o *gentes*), comune alla Grecia contemporanea e determinatosi anche nell'Italia tirrenica già probabilmente fin dall'inizio della fase urbana se non prima, desse in generale a questi stati un'impronta aristocratica. Mentre nelle colonie greche i regimi monarchici di tipo arcaico erano scomparsi o in via di sparizione, abbiamo sicuri argomenti per ritenere che essi siano rimasti vivi a lungo in Etruria e negli altri centri indigeni, assumendo anche caratteristiche funzionali (sacralità e suprema potestà militare dei prìncipi o capi ereditari o elettivi) ed aspetti di pompa esteriore (corona aurea, toga pretesta, seggio d'avorio, fasci e altre insegne trasmesse dall'Etruria ai re e ai magistrati romani) forse in parte influenzati da modelli orientali.

La progressiva conquista di uno stato di diritto, attuatasi in tutto il mondo greco tra il VII e il VI secolo a.C. attraverso l'opera dei legislatori, la rivoluzione oplitica, l'affermarsi del *demos*, la lotta politica, l'insorgere delle tirannie, fu determinante anche per la grecità occidentale che ebbe in essa una parte notevole e per certi aspetti persino anticipatrice (si pensi alle tradizioni relative alle leggi di Zaleuco di Locri, di Charondas e di Andromadas attivi a Reggio). D'altra parte dobbiamo ritenere che i suoi riflessi si siano fatti sentire, sia pure in rapporto alle condizioni locali, anche nella evoluzione politico-istituzionale dei centri anellenici d'Italia. I fenomeni adombrati nelle notizie degli storici di Roma sulla riforma costituzionale di Servio Tullio, sulla fine della monarchia dei Tarquinii e sulla istituzione della repubblica, sulla esistenza di supreme magistrature uniche protorepubblicane diverse da quella del collegio dei due consoli (*magister populi, praetor maximus*) denunciano processi ed eventi di grande portata che senza dubbio investirono nel corso del VI secolo, più intensamente e più precocemente che Roma, l'intero settore delle grandi città etrusche politicamente e culturalmente dominanti sull'area tirrenica. È da presumere che la vivacità e la imponenza dei traffici trasmarini e lo sviluppo della produzione abbiano portato all'affermarsi di nuovi ceti mercantilistici e al loro imporsi nella struttura dello stato attraverso ordinamenti timocratici (come nell'Atene di Solone e a Roma nel sistema centuriato attribuito a Servio Tullio); che i vecchi istituti monarchici, con varia sorte – per noi malauguratamente imprecisabile –, abbiano perduto importanza o siano stati sostituiti da magistrature elettive e temporanee: che i cittadini abbiano preso coscienza dei loro diritti come corpo più o meno istituzionalizzato (nel senso del *demos* o *populus*) accanto a consigli di anziani dominati dalle antiche aristocrazie; che queste conquiste si siano attuate anche attraverso violenti conflitti atti a favorire regimi di potere personale più o meno simili a quelli dei tiranni greci.

Il passaggio dalle oligarchie e dalle monarchie primitive alle costituzioni tendenzialmente isonomiche e alle tirannidi, considerato nel suo complesso un fenomeno storico comune a tutta l'area italica, dovette avvenire, a seconda dei luoghi e delle circostanze, in modo rapido o ritardato, in forma evolutiva o rivoluzionaria, o anche con arresti, ritorni, soluzioni di compromesso (si pensi alle costituzioni oligarchiche moderate di talune città greche, come quella attribuita a Charondas vigente a Reggio prima dell'instaurarsi della tirannia di Anaxilas), e dando luogo talvolta al crearsi e all'organizzarsi nell'interno della *polis* di tendenze e di partiti operanti in reciproca opposizione anche per una lunga durata di tempo, o addirittura alla contrapposizione ideologica di città con regimi diversi. Talché la dialettica istituzionale venne non di rado ad incrociarsi con la politica estera e con le lotte per l'egemonia, influendo direttamente sugli avvenimenti che verso la fine del VI secolo distrussero la situazione di equilibrio creatasi tra Magna Grecia ed Etruria nei decenni precedenti, quale è stata sopra descritta.

La vicenda più saliente a questo proposito è quella che riguarda la fine di Sibari. Senza dubbio questa città egemonica giunta all'apice della sua potenza, prosperità e raffinatezza, portata dalla stessa intensità della sua vita economica a facili e rapidi rimescolamenti sociali, culturalmente aperta, forse anche in parte influenzata dall'esempio di progressismo e di accesa lotta politica che le veniva offerto dall'amica Mileto – proprio la più evoluta e irrequieta *polis* della Ionia –, dovette essere teatro di esperienze innovatrici particolarmente ardite: ultimo, e meglio noto, episodio delle quali fu la tirannia a forte coloritura democratica di Telys. Ciò non poteva ovviamente non esasperare l'antagonismo dei regimi oligarchici di altre città della Magna Grecia in attesa di scrollarne la supremazia. Tra queste venne ad assumere una funzione d'importanza preminente Crotone divenuta centro del magistero e dell'attività legislativa ed associativa di Pitagora, i cui programmi favorevoli al conservatorismo e a rigide norme di costume pubblico e privato furono propagandati e sostenuti con un fanatismo addirittura mistico per quel che riguarda la personalità del maestro. L'improvvisa spinta morale riassunse ed esaltò gl'interessi politici. La guerra scoppiata tra Crotoniati e Sibariti ebbe come risultato non soltanto la sconfitta ma la totale spietata distruzione di Sibari (510 a.C.).

A questo evento fatale, che commosse la Grecia e lasciò un imprevisto vuoto in Italia, si accompagna, si ricollega e fa seguito tutta una serie di fatti che segnano incisivamente la trasformazione del panorama politico italiano sul finire dell'età arcaica. Pressoché dovunque, con un certo sfasamento di ritardo rispetto alla madrepatria greca, trionfano i regimi tirannici. L'esempio di Sibari agisce anche dopo la sua caduta, a suo malgrado e forse anche come reazione ad essa. Persino la vincitrice Crotone sarà ripetutamente scossa da moti antioligarchici e antipitagorici, culminanti in una rivolta popolare, nell'incendio della sede della *hetairía* (fratellanza) di Pitagora, nella signoria demagogica di Kylon, nell'esilio dello stesso filosofo morto poi a Metaponto. Con l'appoggio di forze democratiche si installarono la tirannia di Aristodemo a Cuma (negli ultimi anni del VI secolo) e quella del messenio Anaxilas a Reggio (dal 494); mentre Taranto era governata in pari tempo, su basi più tradizionali, dal «re» Aristophilides. Nella Sicilia greca – a parte il ricordo di più antiche e mal definibili esperienze tiranniche – il potere personale si affermò con Cleandro ed Ippocrate a Gela, dominante su gran parte del settore orientale dell'isola tra la fine del VI e l'inizio del V secolo; al loro successore Gelon si dovrà la fondazione della dinastia dei Dinomenidi a Siracusa (485 a.C.).

Fenomeni analoghi od equivalenti dovettero estendersi per mimetismo anche alle città non greche. Ciò riporta la nostra attenzione su quel settore etrusco-latino-campano che, anche prescindendo dalla importanza dei dati e dei problemi connessi con la storia più antica di Roma, assume ora una posizione di primo piano nel quadro complessivo delle vicende del mondo italico. Alla luce delle fonti storiche e dell'archeologia possiamo affermare, con la maggioranza degli storici moderni, che durante gli ultimi decenni del VI secolo Roma raggiunse, sotto il dominio e l'influsso etrusco, un grado di sviluppo non inferiore a quello dei maggiori centri dell'Etruria meridionale costiera. È probabile che, dopo i perturbamenti esterni ed interni del periodo « serviano », si consolidasse o riaffermasse per qualche tempo la vecchia monarchia dei Tarquinii: ciò che la tradizione antica adombra nel regno di Tarquinio il Superbo (534-509 a.C.). Né è da escludere la storicità delle notizie circa una supremazia di Roma sul Lazio nel senso di una dipendenza dal re di Roma dei prìncipi o signori di vari centri latini (come Octavius Mamilius a Tuscolo, Tullius Herdonius ad Aricia, Sesto Tarquinio a Gabii, ecc.), soprattutto se si tiene conto della generale tendenza contemporanea al formarsi di territori o *epikráteiai* delle città dominanti (dall'"impero" di Sibari ai retroterra dei grandi centri etruschi, fino ai domini insulari di Cartagine). Ma è significativo che, pur trattandosi di un re "legittimo", la figura di Tarquinio il Superbo è colorata dalla tradizione con caratteri che richiamano quelli dei tiranni greci – autocrazia, violenza, sfarzo, ecc. – e che dovevano essere diffusi anche in Etruria, come risulta dalle singolari analogie del "modello" di crudeltà e di empietà offerto dalle leggende del re di Caere Mezenzio (o anche del re di Veio Thebris o Tybris) con i profili più o meno storici di Falaride di Agrigento e di Telys di Sibari. In sostanza è da credere che Roma della fine dell'età regia, come le prossime città dell'Etruria, imitasse nei motivi di politica esterna ed interna il grande esempio di Sibari.

Non è quindi escluso che il nuovo periodo di sovvertimenti e di conflitti nel Lazio, coincidente con gli ultimissimi anni del secolo, sia da considerare almeno in parte un contraccolpo della caduta della città egemone del Mezzogiorno. La cacciata di Tarquinio, cioè la fine tradizionale della monarchia – il cui sincronismo con la distruzione di Sibari può essere il frutto, per altro sintomatico, di posteriori speculazioni annalistiche e che forse va spostata in basso di qualche anno –, rappresenta probabilmente la riaffermazione del partito delle riforme « serviane » che cominciano ora a trovare una più stabile sperimentazione; essa però non significa affatto né la scomparsa del dominio etrusco su Roma né l'abolizione dei poteri personali, esercitati, come già dal re, anche da supremi magistrati su basi più o meno accentuatamente democratiche (come Publio Valerio Publicola, uno dei fondatori della repubblica romana, del quale si è trovato recentemente il nome in un'iscrizione arcaica venuta in luce nel tempio di Satrico nel Lazio). A queste trasformazioni interne corrispondono nuove situazioni esterne. Debellata la grande coalizione etrusco-italica, l'antica colonia greca di Cuma si avvia, sotto il comando del vincitore di quella guerra Aristodemo, a portare la sua offensiva nella sfera d'influenza etrusca, favorendo la ormai matura autonomia politica delle città del Lazio. D'altra parte si affaccia nello stesso momento dal nord la potenza della città etrusca interna di Chiusi, il cui re Lars Porsenna impone un suo breve contrastato dominio su Roma; ma nella battaglia di Aricia (504 a.C. circa) il suo esercito comandato dal figlio Arunte è sconfitto da Aristodemo e dai Latini. Le velleità egemoniche di Cuma nella sfera tirrenica dureranno fino all'abbattimento del tiranno, per opera della opposizione oligarchica, intorno al 490. A sua volta Roma cercherà ancora di agire militarmente e politicamente nel Lazio, ormai sconvolto dalle invasioni dei Volsci e degli Equi, finché predominerà il regime delle « dittature » sostenuto dall'elemento etrusco, di cui l'ultimo

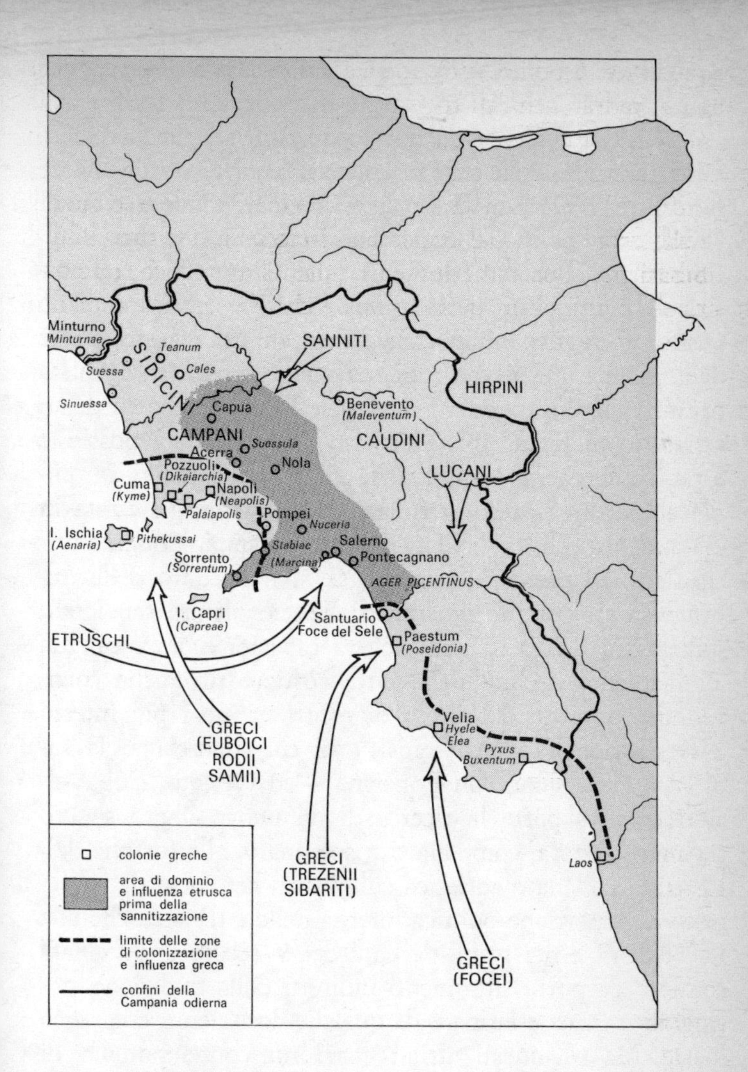

Fig. 7. - La Campania (tra l'VIII e il V secolo a.C.).

e più ardito esponente, Spurio Cassio, accusato di aspirare al regno, cadrà anch'egli rovesciato dall'oligarchia (485 a.C.).

Risulta evidente da questo quadro, seppur frammentario, il declino delle città marinare d'Etruria massimamente fiorite tra il VII e il VI secolo e legate al grande sistema di "equilibrio" politico-commerciale arcaico facente capo in ultima analisi al primato di Sibari, quali Caere e Vulci. È possibile che in questo periodo finale dell'età arcaica abbiano acquistato notevole importanza Veio, diretta maestra d'arte della vicinissima Roma (poi sua valida tenace antagonista per tutta la durata del V secolo), e Falerii al centro di un territorio di lingua mista etrusco-latina; come è possibile e probabile che, a scapito delle già potenti vicine, Tarquinia abbia ora ripreso la funzione dominante già avuta in età antichissima, avviandosi a creare un ampio dominio territoriale nel paese retrostante, se si tien conto della improvvisa sfolgorante fioritura delle sue pitture sepolcrali, indizio tra l'altro di una elevata capacità economica. Ma all'incipiente declino delle città costiere tirreniche corrisponde soprattutto l'ascesa di centri etruschi più interni e settentrionali, quali Chiusi – di cui conosciamo la subitanea espansione con Porsenna – ed Orvieto, cioè Volsinii. D'altra parte la ricerca di un nuovo libero sbocco sui mari porterà, come già si è accennato, alle fortune dell'Etruria padana e adriatica culminanti nel corso del V secolo. La situazione politica interna delle città etrusche alla fine del VI e nei primi decenni del V secolo è illuminata soltanto da pochi riferimenti indiretti della tradizione storiografica greca e latina e da qualche documento epigrafico locale. Ma tra questi ultimi una fonte contemporanea di eccezionale valore, cioè le lamine auree inscritte di Pyrgi, ci mostra la presenza a Caere – in un momento imprecisabile del primo quarto del V secolo – di un potere personale unico concentrato nelle mani del personaggio dedicante del sacrario alla dea fenicia Astarte, Thefarie Velianas (o Veliunas), che l'iscrizione fenicia designa come « re su Caere », pur trattandosi già probabilmente di un supremo magistrato elettivo (*zilac* nella iscrizione etrusca): diciamo pure di un tiranno, esponente della politica filocartaginese.

In verità la rottura del sistema politico-commerciale tirrenico garantito da Sibari, oltreché accelerare la decadenza dei centri marittimi etruschi, ha lasciato ormai via libera all'espansione di Cartagine, che tocca precisamente in questo periodo il punto culminante della sua potenza nelle isole e nei mari italiani. Tuttavia, a parte avvenimenti episodici come la già ricordata azione di Dorieo, questo dominio non rimase incontrastato, anche sul più vasto piano della politica mediterranea, ove si consideri la vigile presenza di Massalia nel Mediterraneo occidentale, testimoniata dalla vittoria della sua flotta comandata dal « re » Herakleides di Milasa su quella cartaginese al Capo Artemisio sulle coste iberiche (490 a.C.). È interessante la coincidenza cronologica di questa battaglia con quella di Maratona: evidentemente il mondo ellenico nel suo complesso si trova a far fronte alla contemporanea minaccia di due colossali potenze barbariche, quella persiana in Oriente e quella cartaginese in Occidente; né possiamo escludere una loro consapevole e preordinata convergenza d'interessi. In ogni caso le sorti del mondo italiano si trovano ora per la prima volta decisamente legate ai maggiori problemi ed eventi dell'intero teatro mediterraneo. La prima, più acuta fase del duplice conflitto si conchiuderà dieci anni dopo, nel 480, con la sconfitta dei Cartaginesi ad Imera in Sicilia e dei Persiani a Salamina, rispettivamente ad opera di Siracusa e di Atene, le due potenze destinate ad avere il maggior peso, dall'esterno, nel periodo successivo della storia italica.

All'arresto del cuore della Magna Grecia arcaica corrisponde un più vivace sviluppo politico e culturale di zone per l'innanzi periferiche. Si è già detto dell'improvviso affermarsi di Cuma in Campania; e tutto fa credere in una contemporanea fioritura di altri centri tirrenici, da considerare in qualche modo epigoni di Sibari, come Posidonia e Velia. Più a sud si afferma un potente stato unitario a cavallo dello stretto di Messina sotto la signoria di Anaxilas di Regio e dei suoi successori (494-461 a.C.). Ma sarà soprattutto la Sicilia, maturata attraverso varie e fervide esperienze di civiltà arcaica, a raccogliere il primato del mondo coloniale ellenico, attraverso i rapidi progressi della potenza di Siracusa, creata dai tiranni della famiglia dei Dinomenidi Gelon (485-478) e Hieron (478-467). Essi iniziarono una politica unitaria della grecità nell'isola, contrastando tenacemente ed efficacemente la pressione dei Cartaginesi e dei loro minori alleati etruschi. Vincendo nella battaglia d'Imera l'esercito di Amilcare con l'aiuto di Theron tiranno di Agrigento, Gelon respinse i primi nel loro estremo angolo della Sicilia occidentale, eliminandone la minaccia per molti decenni. Poco più tardi Hieron batté una flotta etrusca nelle acque di Cuma (474), aprendo la strada al controllo siracusano del Mar Tirreno. Ambedue i fatti d'armi ebbero enorme risonanza in tutto il mondo ellenico.

Con questi avvenimenti si chiude definitivamente la storia dell'Italia arcaica, mentre già maturano le premesse di una nuova età, caratterizzata da situazioni e da esperienze profondamente diverse.

IV.

L'ETÀ DELLA CRISI

(V-IV secolo a.C.)

Quadro generale: aspetti e motivi della recessione nelle zone costiere greco-tirreniche.

Gli archeologi che scavano le necropoli dell'Etruria meridionale conoscono bene questo fenomeno diffuso ed evidentissimo: che il numero, la monumentalità, la ricchezza delle tombe e dei loro corredi tendono a diminuire progressivamente tra la fine del VI secolo e la prima metà del V, in modo più o meno rapido a seconda dei luoghi, fino a ridursi al minimo – almeno ai nostri occhi – per una fase corrispondente agli ultimi decenni del V secolo e ai primi del IV; mentre un'intensa ripresa di testimonianze si osserva a partire dalla seconda metà del IV secolo con ininterrotta continuità per tutta l'età ellenistica.

Il regresso statistico e qualitativo della documentazione archeologica, con particolare riguardo al materiale delle tombe e, tra questo, alla presenza della ceramica attica, non riguarda soltanto i centri etruschi costieri – anche se qui esso assume aspetti e proporzioni particolarmente sconcertanti, specialmente in contrasto con lo splendore dell'età che precede (si pensi agli sterminati sepolcreti arcaici di Caere e dí Vulci rigurgitanti di suppellettili preziose) –; ma è fenomeno che ha un'estensione amplissima. Prescindendo da Roma e dal Lazio, dove l'uso dei corredi sepolcrali cessa assai più precocemente, già all'inizio del VI secolo (ed è un fatto di non facile spiegazione, forse dovuto a motivi sociali o religiosi), un'apparente lacuna analoga a quella dell'Etruria si può riscontrare per quasi tutta la durata del V secolo nelle città della Magna Grecia, dalla Campania alle coste del Mar Ionio, oltreché nei centri indigeni più o meno ellenizzati del loro retroterra. Si può ricordare a questo proposito un coevo diradarsi di rinvenimenti fuori d'Italia in diversi luoghi del Mediterraneo occidentale, compresa la stessa Cartagine; non però, generalmente, in Sicilia.

Senza dubbio ci troviamo di fronte ad un fenomeno che non può essere né apparente né fortuito né dovuto soltanto a cause locali. Esso esige, proprio per la sua diffusione e coerenza, una spiegazione storica comune. Considerata la proporzione limitatissima dei resti archeologici conoscibili rispetto alla reale produzione delle civiltà antiche per ciascuna delle loro fasi è logico che, quando e dove quelle attività produttive siano state meno intense, le testimonianze superstiti possano divenire talmente scarse da creare addirittura l'impressione del vuoto. È il caso altrimenti ben noto di certi secoli archeologicamente "inesistenti" (o quasi) dell'età di passaggio dalla civiltà del bronzo alla civiltà del ferro non soltanto in Italia – il così detto medioevo ellenico – e dello stesso Medioevo europeo. Analogamente potremmo parlare – e si è difatti parlato – di un piccolo «medioevo italico». Nell'ambito di una generale recessione economica le cause di una visibile povertà o assenza di tracce possono sommarsi: dirottamenti o cessazioni di scambi commerciali, abbassamento del tenore di vita, riduzione dell'edilizia, arresto delle innovazioni artistiche, forse anche una certa contrazione demografica che dà la sensazione dell'impoverirsi di singoli insediamenti. Né mancano conferme della tradizione, se si considera ad esempio che a Roma, dopo una fase intensiva di dedicazioni di templi tra il VI secolo e il principio del V, sembra cessare quasi del tutto il ricordo di costruzioni sacre (si registrano solo quelle del tempio di Semo Sancus per il 466 e di Apollo per il 433): ciò che trova il più significativo riscontro nel rarefarsi delle terrecotte di rivestimento architettonico dopo il primo quarto del V secolo in tutta l'area etrusco-latino-campana. A Pyrgi la fisionomia monumentale del santuario, quale doveva apparire ai tempi del saccheggio di Dionisio di Siracusa nel 384 a.C., era stata già fissata definitivamente quasi un secolo prima, intorno al 470-460, e non più modificata.

Possiamo dunque affermare che l'antica prosperità del mondo costiero dell'Italia meridionale e del Tirreno cede ad una fase di decadenza che coincide singolarmente proprio con l'ascesa e l'apogeo della Grecia classica nel V secolo. La funzione dominante e progressiva di quei centri passa ad altre forze motrici che premono dall'interno della penisola o si affacciano dal più vasto teatro mediterraneo. Si inizia così la seconda fase della storia dell'Italia preromana.

Le ragioni politico-commerciali dell'inizio della crisi sono state già adombrate nel capitolo che precede. L'espansiva vitalità dei navigatori e dei coloni greci nel Mediterraneo centrale ed occidentale, l'antagonistico massiccio affermarsi di Cartagine in Sardegna e in Sicilia, il progressivo imbottigliamento dei traffici navali etruschi nel Tirreno, il conflitto tra queste forze, la corsa ai possessi territoriali, l'insicurezza dei mari, infine avvenimenti singoli ma ricchi di incidenze come il crollo del "sistema" di Sibari avevano determinato sul finire dell'età arcaica le condizioni di un irreversibile declino delle comunità greco-tirreniche d'Italia.

Consideriamo ora più attentamente alcuni aspetti. È possibile che la civiltà orientata verso il consumo e giunta al limite estremo di raffinatezza – visibilmente constatabile specialmente negli oggetti e nei monumenti figurati delle città etrusche, ma parallelamente immaginabile per alcune città greche soprattutto in base alle descrizioni delle fonti letterarie – abbia ad un certo momento superato la capacità dei redditi e delle ricchezze cumulate. È possibile che la stessa grande fonte degli scambi dell'Etruria con i Greci e con il resto dei paesi mediterranei, cioè l'estrazione dei metalli dalle miniere vetuloniesi e dall'Elba, abbia subito riduzioni d'intensità produttiva o visto scadere la sua funzione di quasi monopolio a causa dello sfruttamento di altre zone minerarie mediterranee (segnatamente quelle della Spagna divulgate dai Focei) ed europee: si ricordi anche l'apertura delle miniere d'argento e di zinco del Laurion, a pochi chilometri da Atene, avvenuta nel 483! È probabile che l'impoverimento dei mercati d'acquisto dell'Etruria abbia contribuito a paralizzare le rotte commerciali del Tirreno e dello stretto, rompendo tra l'altro il tipico rapporto di scambio tra bronzo o bronzi etruschi e ceramica attica (la quale ora comincerà a cercare sbocco in altri empori, a cominciare dalla stessa Etruria padano-adriatica) e incidendo negativamente sull'attività di tutti i porti intermedi. È infine possibile e probabile che l'instabilità politica interna o eventualmente i conflitti sociali e istituzionali che accompagnano lo sviluppo delle città greche e delle città non greche sul Tirreno abbiano ulteriormente acutizzato la loro crisi imponendo un ripiegamento d'interesse immediato sui problemi locali.

La diaspora italico-orientale.

D'altra parte proprio le vecchie posizioni di privilegio dei centri litoranei e la loro fama di potenza, di ricchezza, di civiltà, di vita brillante debbono aver rappresentato ragioni di fortissima attrazione per le popolazioni a livello culturale inferiore del retroterra appenninico. Il loro tendenziale gravitare sui mercati e sulle zone di più facile lavoro risale probabilmente alle origini stesse degli aggregati urbani, costituendone forse addirittura una componente ed una causa di sviluppo attraverso costanti afflussi demografici. Possono dimostrarlo ad esempio le tradizioni relative alla già ricordata presenza dei Sabini nel formarsi di Roma primitiva, come pure, nell'epigrafia arcaica dell'Etruria propria e della Campania, il ricorrere di nomi personali di origine italico-orientale. Ma a poco a poco il movimento accen-

tuandosi deve aver acquistato il carattere di una pen[illegible]
zione organizzata di genti linguisticamente e culturalme[illegible]
"forestiere", in conflitto con le evolute società urbane d[illegible]lla
costa. Infine nel corso del V e IV secolo si trasformerà in alluvione destinata a sommergere molta parte dell'Italia centro-meridionale.

Nel valutare i motivi e le modalità di questo fenomeno va ricordato anzitutto che una parte degl'Italici del ceppo linguistico osco-umbro aveva raggiunto in età arcaica, e fin dai suoi inizi, un grado di relativa stabilità ed un livello culturale relativamente elevato lungo il versante adriatico con la civiltà cosiddetta « picena » e che oggi sulla base dei documenti epigrafici può senz'altro attribuirsi ai Sabini. Questo settore resterà sostanzialmente estraneo ai grandi movimenti etnici. Ma gli stessi Sabini abitanti nelle zone montuose degli Appennini e le genti che germogliano dalla loro matrice si trovano in condizioni di vita molto diverse; ed è in tale ambiente che va cercata l'origine della diaspora. È lecito immaginare più o meno subitanee insorgenze di bisogni di spazio verso territori più accoglienti delle alte valli appenniniche, a causa dell'accrescimento della popolazione: donde gli spostamenti che vengono a colorirsi di motivi religiosi e guerrieri, secondo la veneranda formula rituale della « primavera sacra » *(ver sacrum)*, cioè della emigrazione armata dei giovani di singole generazioni, come atto espiatorio comandato dagli dèi, quale è ricordata dalla tradizione. Si può anche parlare addirittura di una sorta di mutazione esplosiva che si manifesta pregna di una improvvisa carica di vitalità. Né trascureremo l'ipotesi che qui ci si trovi di fronte ad una continuazione dei grandi moti preistorici da oriente verso occidente attraverso l'Adriatico e la penisola.

Ma storicamente occorre pur cercare cause dirette e concrete della congiuntura in cui si colloca un così clamoroso risveglio dei montanari appenninici da secolari tradizioni di economia pastorale, di modesti equilibri demografici, di conservatorismo tribale, di inattività culturale. Sembra difficile escludere un rapporto con lo sviluppo della civiltà lungo le coste occidentali d'Italia quale elemento catalizzatore delle forze potenziali dell'interno della penisola: quasi per una reazione di richiamo tendente a colmare il dislivello di mentalità, di strutture, di forme di vita fra contrade relativamente così poco lontane le une dalle altre (si ricordi che le Aquae Cutiliae nella conca di Rieti, leggendaria culla dei Sabini, distano meno di 100 chilometri di strada da Roma, e altrettanto il santuario sannitico della dea Mefitis dal santuario greco di Hera alle foci del Sele); diremmo anzi addirittura attraverso una serie di reazioni a catena.

La richiesta di mano d'opera per l'agricoltura delle pianure costiere e per l'artigianato, nonché di truppe per la guerra, può aver concorso ad avvicinare tra loro i due mondi e a definirne le posizioni reciproche l'uno di fronte all'altro, secondo una dialettica altrimenti ben nota nella storia delle civiltà umane: cioè da un lato quella di società mature e più o meno predestinate alla decadenza; da un altro lato quella di forze giovani urgenti ai loro margini e pronte a sostituirle. Il mercenarismo, che sotto l'insegna del dio guerriero Mamars o Marte sarà uno degli aspetti più caratteristici dell'attività delle genti italico-orientali nel periodo dei grandi conflitti mediterranei del IV-III secolo, deve aver già avuto una certa sua parte nelle fasi più antiche della loro espansione, seppure forse dapprima mal distinto dai rapporti di alleanza o *symmachía* tra le città greco-tirreniche e gl'indigeni del retroterra. In questo senso saranno da intendere, oltreché ovviamente le relazioni delle colonie della Magna Grecia – ed in primo luogo Sibari – con gli abitatori dell'interno, anche il ricordo della partecipazione di Umbri e Dauni alla offensiva etrusca contro Cuma nel 524 a.C. È possibile che elementi italici fossero già tra i mercenari al soldo dei Dinomenidi a Siracusa; ed è certo che Neapolis inviò mercenari campani, cioè Sanniti installati in Campa-

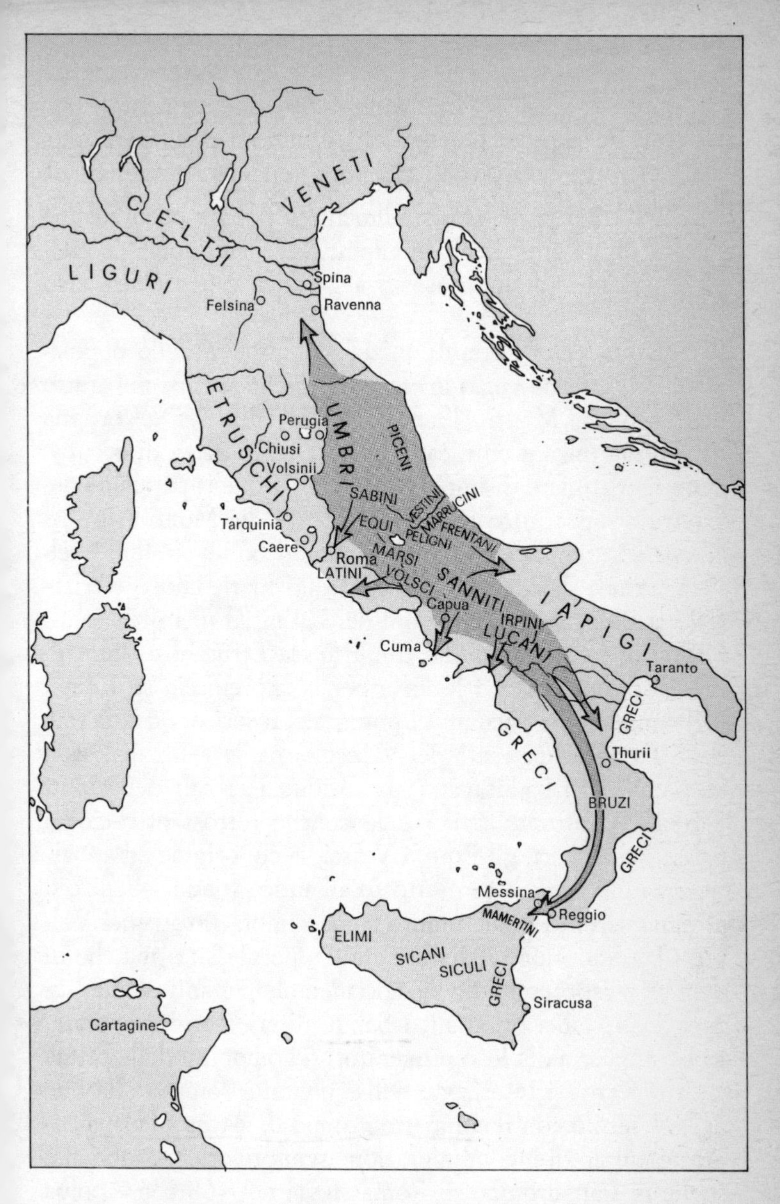

Fig. 8. - Espansione e distribuzione degl'Italici orientali di lingua osco-umbra.

nia, agli Ateniesi impegnati contro Siracusa. Le immigrazioni individuali o di gruppi o di massa tendono a farsi occupazioni stabili dei nuovi territori e, consolidate, a dilatarsi in ulteriori occupazioni e conquiste. Dalle iniziative private o semiprivate ancora nell'àmbito della sovranità dei vecchi stati si passò verosimilmente a poco a poco ad una "presa di potere" degli immigrati, alla creazione di nuovi organismi statali, alla loro aggressiva espansione verso l'esterno.

È noto che la punta iniziale di rottura delle popolazioni dell'interno verso le coste tirreniche si ebbe nel tratto del Lazio tra i Monti Albani e la Valle del Liri. Questa zona di sutura etnica e politica, quasi del tutto priva di occupazioni marittime e di importanti centri urbani, parzialmente arretrata soprattutto in corrispondenza dei Monti Aurunci ed Ausoni, risultava già fortemente indebolita sul finire dell'età arcaica dal declino del controllo marittimo e territoriale etrusco, dalle aspirazioni dei Latini ad una propria affermazione autonoma, dal conflitto fra Etruschi e Cumani, dai fatti connessi con le lotte per la supremazia su Roma. Nel conseguente vacuum di potenza si inserirono tra la fine del VI e la prima metà del V secolo quelle genti di lingua osco-umbra che abitavano ab antiquo i crinali dei Monti Sabini, Simbruini, Ernici e le conche retrostanti: cioè i Sabini, gli Ernici, gli Equi, i Volsci, la cui origine ed appartenenza dialettale – se piuttosto all'antico fondo sabellico o al ramo settentrionale umbro come sembra il caso dei Volsci – ha dato luogo a discussioni e a perplessità; ma che in ogni caso rappresentano l'ala occidentale più antica ed avanzata degli Italici orientali. I Sabini di età storica avanzata, forse sulla scia dei loro progenitori od omonimi della prima età del ferro, si inserirono nella comunità romana alla fine del VI secolo con il compatto gruppo di Attus Clausus (tipico esempio di una immigrazione semiprivata); furono alle soglie di impadronirsi di Roma stessa nel 468 con Appius Herdonius (impresa già definibile come conquista militare dall'esterno); si installarono sulla riva destra del Tevere nel santuario di Lucus Feroniae e forse giunsero ad occupare o controllare in parte il territorio falisco alterandone fortemente la lingua. I Volsci dilagarono nel Lazio fino al mare occupando Velletri, Satrico, Anzio, Terracina, Fondi, Formia; crearono un possente e compatto sistema politico, che dovette assorbire molte esperienze organizzative e culturali delle vecchie civiltà costiere (anche se archeologicamente ci appare finora poco definito); insieme con gli Equi minacciarono per molti decenni, dal principio del V secolo al 430, l'esistenza stessa delle superstiti comunità latine e di Roma.

È probabile che già in questo periodo gl'Italici orientali del ramo umbro in fase espansiva, risaliti lungo la valle del Tevere e bloccati a ovest dalla insuperabile frontiera dei territori etruschi di Volsinii-Orvieto, Chiusi, Perugia, Cortona, Arezzo, consolidassero ed estendessero la occupazione di quella che sarà l'Umbria storica con particolare riguardo alle valli del Topino e del Chiascio e dei loro confluenti, accogliendo elementi delle culture urbane e fogge etruscheggianti, a cominciare dalla scrittura. Ce ne offrono indizi tra l'altro la fioritura di Tuder-Todi, la « città del confine » per antonomasia; la nascita di Plestia a Colfiorito – nominata nella più antica iscrizione umbra superstite recentemente venuta in luce –; probabilmente già la costituzione di Iguvium-Gubbio da parte di elementi provenienti da Attidium, secondo la tradizione riecheggiante nelle assai più recenti Tavole Iguvine, in un paese straniero e circondato dalla minacciosa presenza di genti straniere come gli Etruschi stessi (Turskus), gli abitatori di fasce adriatiche (Iapuzkus) e i male identificabili « Nerini » (Naharkus: forse altri Italici orientali di lingua non umbra prementi alle spalle da sud?). Tutto fa credere – ove si cerchi di valutare attentamente la tradizione riflessa in alcuni passi di Strabone (V 1,7 e 10; 2,1 e 9-10) – che questa ondata espansiva si fosse estesa, ancor prima della invasione gallica ed in concorrenza ed a scapito della dominazione etrusca, anche verso la Romagna e la costa adriatica, con la occupazione umbra di Sarsina, di Rimini e di Ravenna. Ne restano cospicue e ormai sicure testimonianze archeologiche soprattutto in sepolcreti dell'Imolese e delle Valli del Lamone e del Savio.

Anche l'altro fronte dell'area italico-orientale, quello che guarda verso sud ed è caratterizzato da popolazioni del ramo linguistico osco, deve presumibilmente essere entrato in agitazione ed in movimento fin dagl'inizi del V secolo se non prima. Tuttavia la strada aperta di fatto ad una sua espansione conquistatrice, che fu travolgente ed irresistibile, si ebbe soltanto nella seconda metà del secolo. Senza dubbio a trattenerla poté essere stata ancora in parte la compattezza delle occupazioni coloniali greche e della organizzazione del retroterra indigeno gravitante economicamente e culturalmente sulle colonie, di cui oggi cominciamo ad intravedere archeologicamente alcuni capisaldi specialmente in Lucania; ma forse contribuì anche la concomitante vitalità delle popolazioni apule, di cui si dirà subito. Una sensibile infiltrazione di Italici orientali nel Mezzogiorno della penisola – anche se non massiccia e ab antiquo come qualcuno ha pensato – deve comunque esser considerata possibile già per l'età arcaica, alla luce di indizi onomastici e perfino archeologici (tenuto conto, ad esempio, di certe somiglianze delle culture dell'alta valle del Sele con quelle del medio Adriatico).

Matrice di tutte le genti italiche migranti nell'Italia meridionale sono i Sanniti del Molise e dell'Irpinia, a loro volta collegati ai Sabini secondo la tradizione, e recanti lo stesso nome (*Safinim* in osco = *Samnium*; la forma *Samnites* deriva da *Samnium*). Una penetrazione più o meno lenta di Sanniti nella pianura campana e probabilmente il conseguente risveglio delle genti indigene locali portarono al costituirsi nel 430 a.C. del popolo dei Campani con centro a Capua in sostituzione del dominio etrusco; poco dopo cadeva anche Cuma con tutto il sistema delle colonie greche (a Neapolis si formò una sorta di condominio greco-sannitico con magistrati delle due stirpi). Altro nome dei Campani è Osci, donde la designazione comune di lingua osca per tutte le parlate italico-orientali del Sud. Dai Sanniti derivano anche i Lucani che occuparono il versante tirrenico dell'Italia meridionale a sud della penisola sorrentina tra la fine del V e il principio del IV secolo, spingendosi nell'interno fino al versante ionico. Dai Lucani deriveranno a loro volta i Bruzi (*Bruttii*, con nome greco *Brettioi*) dilaganti nell'odierna Calabria. Infine un estremo scaglione di Italici orientali formato da mercenari si installerà in Sicilia a Messina, come avremo occasione di vedere più avanti.

Altri movimenti di popolazioni dall'interno: Iapigi, Siculi, Galli.

Le ragioni storiche e la portata generale del fenomeno di irrequietezza e di aggressività dei popoli dell'interno si confermano considerando che esso non è limitato alle sole stirpi appenniniche di lingua osco-umbra – quasi come una loro esclusiva esigenza e disposizione intrinseca –, ma si estende più o meno nello stesso periodo, seppure in grado minore, anche ad altre genti indigene. Tra queste il gruppo più importante, caratterizzato, ricco di singolare personalità culturale, che incontriamo nel sud della penisola è quello degli abitatori dell'Italia sud-orientale, l'odierna Puglia, cioè gli Iapigi *(Iapyges)* o Apuli, suddivisi secondo la tradizione in Dauni (stanziati nel Foggiano), Peucezi (*Peucetii* al centro nel Barese) e Messapi (nel Salento). Anche prescindendo dai racconti delle origini, una loro tendenza a premere verso occidente in direzione del Tirreno è indicata archeologicamente dalla larga diffusione e influenza della ceramica geometrica apula in Lucania e persino in Campania e in Etruria già durante l'età arcaica.

Possiamo ricordare ancora una volta la notizia del concorso di Dauni alla grande guerra etrusca contro Cuma nella seconda metà del VI secolo; e citare altresì il singolare riferimento di Callimaco (negli *Aitia*) ad un attacco di Peucezi contro Roma, non precisabile cronologicamente ma forse più antico di quanto si sia finora sospettato: poco importa se l'una e l'altra tradizione ricordino piuttosto imprese di mercenari che azioni militari autonome. La tenace resistenza degli Iapigi alla penetrazione politica e culturale greca diventa effervescenza e minaccia al principio del V secolo. Una serie di guerre di confine commemorate da donari offerti dai Tarantini a Delfi culmina nella sanguinosa disfatta subita da Taranto, alleata con Reggio, nel 473 a.C. e forse – nonostante l'incredulità degli storici moderni per la versione di Diodoro Siculo (XI, 32) – addirittura in una spedizione punitiva di bande di Iapigi vittoriosi, attraverso tutta la Magna Grecia, fino a Reggio (il cui signore Mikythos, successore di Anaxilas come reggente, cercò conseguentemente di installare, per ragioni di difesa o di prestigio, un'effimera colonia militare a Pyxus sui margini della Lucania). La compatta organizzazione territoriale delle colonie greche e l'incipiente spinta offensiva degli Italici orientali da nord a sud dovettero neutralizzare l'espansione apula, che restò nella sfera delle possibilità storiche irrealizzate. Tuttavia la forza d'iniziativa degli Italici sud-orientali, nei riguardi di una politica interessante l'intero Mezzogiorno della penisola, è dimostrata ancora nei decenni successivi dall'alleanza di Brindisi con la colonia panellenica di Thurii contro Taranto (intorno al 440) e dagli aiuti offerti dal re messapico Artas ad Atene nella sua lotta contro Siracusa: prodromi di quello che sarà un secolo dopo, seppure in ben diverse condizioni come vedremo, il grande momento dell'affermazione militare e politica dei Messapi nella Magna Grecia.

Non si può trascurare l'analogia che con i fatti in questione – benché fuori della penisola – presentano le imprese del condottiero siculo Ducezio, il quale, giovandosi delle contese interne e delle reciproche rivalità delle città greche, riuscì dapprima a creare un vasto stato indigeno nel cuore dell'isola (460-451 a.C.); poi, vinto dai Siracusani ed esiliato a Corinto, tornò nuovamente in Sicilia e fondò, con il concorso di Greci e di indigeni e con l'appoggio della stessa Siracusa, la colonia di Calacte (446). La sua opera iniziale dovette senza dubbio ispirarsi ad un programma di riscossa dei discendenti dei primitivi abitatori dell'isola contro il mondo coloniale e colorirsi anche di motivi propri delle tradizioni locali, come mostra la creazione della capitale Palice nella località di uno dei più venerandi centri sacri dei Siculi presso l'odierna Palagonia. Ma è probabile che di fatto essa interpretasse piuttosto una reazione delle comunità ellenizzate o semiellenizzate dell'interno della Sicilia contro le grandi città egemoniche delle coste; ed in ogni caso la politica di Ducezio, divenuta ben presto un fatto personale, lungi dal creare una inversione di tendenze nella storia dell'isola, finì con il consolidare la supremazia di Siracusa.

Resta infine da considerare un fenomeno di ben altra ampiezza e risonanza con il quale anche l'Italia settentrionale entra nel giuoco delle "reazioni continentali": cioè l'invasione dei Celti. Esso presenta le stesse caratteristiche di movimento di genti semibarbare attratte da paesi interni verso regioni più incivilite, per un immediato richiamo dei floridi centri della pianura padana e delle coste adriatiche o per un più lontano miraggio del mondo peninsulare greco-tirrenico, nel quadro della generale irrequietezza da cui è investito tutto il retroterra italico. I Galli (questo nome usato dai Romani si scambia con quello dei Celti preferito in greco) si differenziano peraltro dalle popolazioni precedentemente menzionate per il fatto che sono di origine extraitalica. Essi appartengono infatti ad un vasto gruppo etnico abitante l'Europa centrale ed occidentale. Generalmente si ritiene che il mondo celtico abbia avuto un periodo di esplosione espansiva specialmente verso sud, cioè l'Italia e i Balcani, intorno al V secolo. Ma noi abbiamo oggi forti ragioni per ritenere che la loro penetrazione in Italia sia notevolmente più antica e abbia avuto inizio, secondo la versione di Livio, V, 34 e 35 (già respinta come anacronistica), addirittura alla fine del VII-inizi del VI secolo (in concomitanza con il regno di Tarquinio Prisco a Roma e con la fondazione di Massalia-Marsiglia). Si può anzi addirittura pensare che l'area di formazione originaria dell'ethnos celtico abbia compreso anche una parte delle zone alpine e subalpine sul versante italiano, come proverebbe il supposto carattere protoceltico delle iscrizioni leponzie (cioè della stirpe dei Lepontii intorno ai laghi lombardi). In ogni caso le invasioni celtiche in Italia, piuttosto che come un avvenimento unico e catastrofico, dovranno configurarsi come una serie di movimenti espansivi verso sud, che videro accavallarsi diverse stirpi in successivi stanziamenti dei quali i più recenti sono i più avanzati: cioè, secondo lo schema ricavabile dal racconto di Livio e dalla descrizione di Polibio (II, 17 ss.) gl'Insubri nel cuore dell'odierna Lombardia con centro a Mediolanum-Milano, i Cenomani nel Bresciano e nel Veronese, i Salluvii intorno al Ticino a sud-ovest degl'Insubri, i Boii e i Lingoni in Emilia e Romagna, i Senoni lungo il litorale adriatico fino alle odierne Marche. Un momento di fondamentale importanza dovette essere il passaggio del Po con un'azione che investì direttamente il territorio dell'Etruria padana. Altra serie di avvenimenti cruciali sarà, tra la fine del V e il principio del IV secolo, lo sfociare dei Galli, principalmente Senoni, nella penisola con le offensive contro l'Etruria tirrenica, Roma (incendio gallico poco dopo il 390 a.C.) e la Puglia.

I costumi primitivi e selvaggi dei Galli, descritti a vivi colori da Diodoro Siculo (V, 26 ss.), dovettero fare una profonda impressione nel mondo classico: il dislivello di cultura rispetto ai territori di evoluta civiltà etrusca e greca è evidente. Il rapporto che si instaura tra i due mondi è di netta contrapposizione. I movimenti dei Galli sono caratterizzati

aree di più antica e intensa occupazione
aree di espansione più recente
direttive di espansione e d'incursione
località con ritrovamenti archeologici gallici
iscrizioni celtiche
battaglie o episodi bellici
Bormio
RAETI
CARNI
VENETI
HISTRI
Ornavasso
LEPONTII
Gravellona
SALLUVI
Briona
Gera d'Adda
ORUMBOVII
Milano
Manerbio
CENOMANI
LIBICI
INSUBRES
Carzaghetto
TAURINI
Valeggio Lomellina
ANAMARES
BOII
LINGONES
LIGURI
Bologna
Budrio
Marzabotto
Monterenzio
Rimini
SENONES
AGER GALLICUS
Senigallia
(Sena Gallica)
Arezzo
Montefortino
Numana
Osimo
Campiglia
ETRUSCHI
Sentinum
(295 a.C.)
Chiusi
UMBRI
S.Ginesio
Todi
Talamone
(225 a.C.)
Lago Vadimone
(283 a.C.)
Caere
Roma
(390 a.C.)
LATINI
SANNITI
IAPIGI
Capua
Taranto
Thurii
Messina
Reggio
Siracusa

Fig. 9. - Espansione e distribuzione dei Galii.

prevalentemente da incursioni rapide e ardite a scopo di razzia, con infiltrazioni che evitano le città; stabili conquiste territoriali con sfruttamento agricolo delle campagne si ebbero soltanto nell'Italia settentrionale e nelle Marche. Questo tipo di avanzate sussultorie spiegano perché vediamo i Galli nella penisola, in Etruria e a Roma e fino in Puglia già all'inizio del IV secolo, mentre una definitiva celtizzazione dell'Emilia (a Bologna, che prenderà il nome di Bononia probabilmente dai Boii, e a Marzabotto) non si avrà prima della metà di quello stesso secolo. Degli ulteriori sviluppi dell'attività del fattore celtico e della sua importanza nel quadro storico generale si dirà più avanti.

Sviluppi "periferici" e influenze "esterne": condizioni dell'Italia greco-tirrenica e politica di Siracusa e di Atene nel V secolo.

Il concetto di « medioevo italico », anche se valido nel quadro generale, non è tuttavia applicabile all'intero teatro della storia di quella che in senso lato abbiamo definito « area italiana ». Già si è fatto cenno, alla fine del precedente capitolo, ad uno spostamento della vitalità del mondo coloniale ellenico verso i margini della Magna Grecia. Tale constatazione può valere più generalmente per tutto il complesso delle esperienze politico-culturali della fascia costiera greco-tirrenica. Alla crisi delle antiche gloriose città del Mar Ionio e del Mar Tirreno nel V secolo fa da contrappeso la fioritura di territori periferici ai quali sembrano trasmettersi le tradizioni della grecità d'Italia e dell'Etruria e il compito di mantenerne accesa la fiaccola di civiltà. All'Etruria marittima si sostituiscono l'Etruria interna e l'Etruria padana. Alla Magna Grecia si sostituisce la Sicilia. Il segno esteriore di queste contrapposizioni è dato dalla grande abbondanza di ceramica attica di stile classico trovata rispettivamente a Spina e nelle città siceliote, proprio mentre essa si dirada o scompare nei centri tirrenici e dell'Italia meridionale.

Soprattutto alla documentazione archeologica dobbiamo in verità gli elementi che lasciano supporre un rapido, decisivo incremento delle città etrusche dell'interno. Ciò non significa che alcune di esse non abbiano avuto prosperità e importanza in età arcaica, come è il caso di Chiusi e di Fiesole; né, reciprocamente, che le città costiere, o tutte le città costiere, abbiano perduto, o perduto di colpo, la loro tradizionale grandezza. Già sappiamo che Tarquinia dovette godere sul finire dell'età arcaica di una forte ripresa, probabilmente egemonica, nell'Etruria meridionale; e il protrarsi della pittura funeraria tarquiniese, con monumenti numerosi e di alta qualità artistica, per molti decenni del V secolo può indicare che questa città, più che altre, seppe resistere alla crisi recessiva, conservando quella posizione di preminenza territoriale e di prestigio politico-militare, culturale e religioso in cui la ritroviamo ai tempi delle guerre contro Roma. Ma le più significative testimonianze di una vivace produzione artistica influenzata dalla Grecia classica – e quindi di un particolare rigoglio nel V o nel V-IV secolo – si scoprono a Veio, a Falerii, a Orvieto cioè a Volsinii (terrecotte figurate votive ed architettoniche), a Chiusi (pittura e scultura funeraria), a Cortona e ad Arezzo (statue e arredi di bronzo). Questi dati debbono essere posti in relazione con un presumibile generale spostamento di interessi economici e politici dalle coste alle vie interne, fluviali e lacustri, di cui è ricca l'Etruria, e specialmente al formarsi di un importante asse di contatti e di traffici lungo la valle del Tevere (del quale furono forse partecipi anche comunità latine, sabine e umbre). Una egemonia chiusina nel centro, ipoteticamente complementare di quella tarquiniese nel sud, è prospettabile anche indipendentemente dal più antico ricordo dell'impresa di Porsenna. Ma è soprattutto verosimile che in questo periodo si sia definitivamente costituita l'associazione o confederazione dei dodici (poi quindici) maggiori stati etruschi, costieri ed interni – più o meno sicuramente identificabili con Caere, Tarquinia, Vulci, Roselle, Vetulonia, Populonia, Veio, Volsinii, Chiusi, Perugia, Cortona, Arezzo, Fiesole, Volterra –, organizzata nel "congresso" *(conventus)* annuale al santuario del dio Voltumna *(Fanum Voltumnae)* presso Volsinii e avente un carattere di unione prevalentemente religiosa ed economica, ma anche politica e militare: onde Volsinii venne ad assumere anch'essa una posizione di primissimo piano fino ad essere considerata una « capitale dell'Etruria » (Valerio Massimo, IX 1): ciò che è confermato archeologicamente dallo splendore delle necropoli orvietane.

Altro e più fertile e vasto terreno di sviluppo è il paese dominato dagli Etruschi oltre l'Appennino Tosco-Emiliano. Già si è detto che alle sempre più ostacolate attività navali nel Tirreno si trovò, sul piano strategico dei commerci internazionali, una valida surrogazione in direzione dell'Adriatico, i cui scali consentirono di aprire per qualche tempo un nuovo polmone alla respirazione della vecchia Etruria. Quale che sia il problema della più remota presenza etrusca nella pianura padana è certo che soltanto tra la fine del VI e il principio del V secolo noi vediamo sorgere e fiorire i grandi centri dell'Emilia e della Romagna, da quelli interni come Felsina-Bologna e Marzabotto a quelli costieri come Adria (al limite del territorio dei Veneti), Spina e verosimilmente Ravenna e Rimini. Soprattutto importante fu il porto di Spina alle foci dell'antico ramo meridionale del Po, celebrato dagli antichi e tanto largamente recettivo di elementi greci da esser creduto fondazione pelasgica e chiamato πόλις Ἑλληνίς, il quale ci si presenta oggi con le sue ricche necropoli abbondanti di vasi attici. Per quanto ci è dato desumere dalle fonti storiche e – solo limitatamente ed in modo piuttosto incerto – dai dati archeologici, la occupazione, il controllo o la influenza degli Etruschi nell'Italia settentrionale dovettero estendersi almeno per qualche tempo anche nell'Emilia occidentale da Modena a Piacenza e a nord del Po, a Mantova che ha nome etrusco e forse anche oltre: più dubitativamente nell'area ligure, dove se mai è da pensare a contatti dal Mare Tirreno (attraverso avamposti strategici a nord delle foci dell'Arno, dove venne sorgendo il porto etnicamente misto di Pisa, e forse qualche installazione di empori costieri). Dal lato opposto, vale a dire nell'Adriatico, non si deve escludere la possibilità di frequentazioni e ingerenze etrusche anche a sud della Romagna, stando alla notizia di Strabone (V, 4,2) sulla fondazione tirrenica del santuario di Cupra nel Piceno.

Nel complesso l'Etruria nordica tra il V e l'inizio del IV secolo rappresenta un'area di intense e dinamiche esperienze civili, che sono le prime affermatesi ad alto livello nell'Italia settentrionale: essa stimola lo sviluppo delle popolazioni locali, cioè i Veneti, gli abitatori della media e alta pianura padana in possesso della cultura detta di Golasecca e le genti alpine; dona loro la scrittura; ne accoglie elementi; infine irradia prodotti commerciali italici e sollecitazioni culturali attraverso contatti di lontanissima portata oltre le Alpi verso l'Europa centrale e settentrionale. Se la sua prosperità durò per una non lunga stagione – presto insidiata dalla penetrazione degli Umbri da sud e dei Galli da nord e da ovest, oltreché da cause naturali (il porto di Spina era già arretrato e interrato nel IV secolo e aveva ceduto la sua funzione primaria a quello di Adria) –, tuttavia si deve ad essa se l'alto Adriatico fu definitivamente aperto alle grandi correnti dell'incivilimento e al giuoco degli interessi commerciali e politici mediterranei.

Le fonti storiche e i dati archeologici confermano a loro volta la stasi o il declino delle antiche colonie della Magna Grecia, con particolare riguardo a quelle "centrali" del golfo di Taranto; escluse cioè all'estremità settentrionale Taranto stessa e a sud, nell'odierna Calabria, Crotone, Locri – che ebbe una sua singolare brillante fioritura culturale ed artistica nella prima metà del V secolo –, Reggio: la quale ultima poté godere anche di una certa posizione di primato con il "regno dello stretto" creato da Anaxilas. Ma l'iniziativa politica e l'eredità delle tradizioni di potenza dei Greci d'Italia passarono ben presto per intero, come già sappiamo, fuori della penisola, a Siracusa. Abbattuta ad Imera la minaccia cartaginese e dato il colpo di grazia alla residua potenza navale etrusca dinanzi a Cuma, questa città si trova ormai nelle condizioni di poter assumere sola e senza ostacoli il controllo dei mari italiani. Le due maggiori signorie territoriali greche più o meno potenzialmente rivali di Siracusa in Sicilia e al margine dell'Italia, quelle di Agrigento-Imera e di Reggio-Messina, finiscono a poco a poco con l'integrarsi nell'"impero" dei Dinomenidi. Anche se non poterono subito allora, nella prima metà del V secolo, essere sfruttate a fondo tutte queste opportunità – come lo saranno alcuni decenni più tardi dall'impetuoso genio politico di Dionisio –, certamente Siracusa impostò un suo programma d'interesse e d'azione, nei riguardi dell'Italia, "dall'esterno", in qualche modo sostitutivo di quello di Cartagine. Essa impose la sua ferma supremazia sulle coste della Campania, pur sempre chiave di volta dell'Italia tirrenica, creando una base militare nell'isola d'Ischia. Tentò poi di premere offensivamente sull'Etruria stessa, specialmente in direzione degli antichi centri minerari del nord, con le due consecutive spedizioni navali degli ammiragli Phaillos e Apelle, che devastarono e occuparono temporaneamente tratti della costa etrusca, dell'Elba e della Corsica (454-453 a.C.): azioni per altro non decisive anche a causa delle beghe di comando che sfociarono nel processo contro Phaillos.

Del resto un altro e del tutto nuovo elemento si andava in quel medesimo periodo affacciando dall'esterno – e da più lontano – sul teatro politico italiano. Ci riferiamo ad Atene. La presenza indiretta del prestigio culturale ateniese, a parte ogni altro indizio, era stata assicurata ab antiquo in Italia dalla immensa mole delle importazioni ceramiche attiche; e per quel che riguarda il prestigio economico va considerata la sempre crescente importanza del numerario attico negli scambi, quale risulta dalle scoperte dei tesoretti monetali. Giunta dopo le guerre persiane all'apogeo della sua potenza Atene guardò, dapprima con Temistocle e poi decisamente con Pericle, anche verso occidente alla sfera italiana. Tutte le notizie che possediamo in proposito sembrano indicare che l'imperialismo ateniese operò inizialmente attraverso caute prese di contatto destinate ad acquisire un'approfondita conoscenza delle situazioni e quindi attraverso una rete di contatti amichevoli – in parte documentati, in parte presumibili – con i vari ambienti rimasti al margine o scontenti o nemici dell'egemonia siracusana: cioè Reggio e Locri, gli Etruschi, i Latini, gli Apuli, probabilmente la stessa Cartagine. Un protettorato su Neapolis in forma di parziale colonizzazione (453) portò di fatto Atene a sostituirsi a Siracusa nel possesso della base d'Ischia e nel potenziale controllo della Campania. Quasi contemporaneamente veniva abilmente alimentato il sogno della rinascita della leggendaria Sibari dalla sua ormai sessantennale rovina e, dopo alterne vicende di sperimentazione, una spedizione ateniese, capitanata da Lampon, massimo esperto di politica italica, interveniva fattivamente alla ricostruzione dell'antica città, ma in una forma del tutto nuova, con il nuovo nome di Thurii, quale colonia comune di tutti gli Elleni, con una ordinata legislazione democratica, secondo un rigoroso piano urbanistico « ippodameo » (446-444). Questa creazione quasi utopistica, in cui sembrano esprimersi esemplarmente la razionalità e l'ethos dello spirito classico come nelle contemporanee figurazioni del Partenone, riuscì ad attecchire e a sopravvivere, nonostante tutto, alle sue vicende e contraddizioni interiori (cioè al rapido prevalere degli elementi dorici su quelli ionici e alla spaccatura determinatasi tra partito filoateniese e partito filospartano), alle ostilità delle vecchie colonie con particolare riguardo a Taranto – che volle opporle una propria neocolonia con la fondazione di Eraclea pur sul luogo di una famosa città distrutta, Siris –, e infine alla incipiente minaccia degli invasori italici orientali calanti dall'interno con i nomi di Lucani e di Brettii (Bruzi).

La lunga azione preparatoria di Atene in Italia tendeva in realtà soprattutto alla conquista di un predominio sulla Sicilia, per il quale parvero particolarmente validi i legami di reciproco appoggio con le colonie di vecchia origine euboica, ioniche come Atene stessa e più ostili alla dorica Siracusa: cioè Reggio e ora anche, in Sicilia e vicinissima a Siracusa, Leontinoi. Lo scoppio della guerra del Peloponneso e la morte di Pericle non mutarono questa politica, ma la inquadrarono nelle situazioni del conflitto. Tre spedizioni navali ateniesi inviate contro Siracusa fra il 427 e il 425 fallirono per varie ragioni e, infine, per il prevalere di un vero e proprio "nazionalismo" siceliota negli accordi di Gela (424). Ultima, culminante manifestazione del programma imperialistico di Atene in Occidente fu la famosa impresa di Sicilia promossa da Alcibiade e affrontata dalla democrazia ateniese con il massimo impegno delle sue risorse (415-413). Ad essa parteciparono, seppure in modo non decisivo, alcune delle città alleate d'Italia, truppe campane e persino navi etrusche, oltreché le colonie euboiche di Sicilia, parte dei Siculi e i fiorenti Elimi della Sicilia occidentale (che per l'aggressione di Selinunte alla loro capitale Segesta erano stati la causa immediata della guerra). Ma l'evento restò nel complesso al margine degli interessi italici e fu piuttosto un episodio – senz'altro uno dei più sconvolgenti e decisivi episodi – della storia greca nel momento cruciale del duello tra Atene e Sparta; giacché lo sfacelo della "grande armata" degli attaccanti a Siracusa, tenacemente difesa anche con il concorso diretto degli Spartani, segnò moralmente e materialmente le sorti del primato ateniese. Siracusa ne uscì rafforzata, pronta, dopo le altre minacce e traversie, ad assumere una nuova e più vigorosa funzione di dominio o di controllo anche sull'Italia, come si vedrà tra poco.

Tornando ora a considerare le condizioni del mondo greco-tirrenico in generale possiamo dire che la storia del suo declino e dei conflitti di potenza intorno all'Italia nel V secolo si collega e s'intreccia con quella della evoluzione delle società e delle loro forme politiche. Il fenomeno generale delle tirannidi tardoarcaiche non è che un momento, seppure fortemente caratterizzato, del divenire della *polis* occidentale e tende a scomparire con l'avvento della nuova età. Tuttavia in qualche caso questo potere persiste consolidandosi dinasticamente e identificandosi con le fortune stesse dello stato (ed è significativo che ciò avvenga in quel settore dell'estrema Italia, cioè Reggio, e della Sicilia, cioè Siracusa, che è ora storicamente il più vivo). Alle tirannie succedono affermazioni o vere e proprie restaurazioni oligarchiche in molti centri della Magna Grecia, come Crotone, Locri, Reggio, Cuma, e probabilmente anche in città non greche: a Roma dopo la caduta di Spurio Cassio, presunto aspirante al potere supremo, dal 485 al 461 a.C. s'instaurò saldamente il regime gentilizio dei Fabii; ed è pensabile che analoghi sviluppi si siano determinati in Etruria (dove generalmente le aristocrazie sarebbero durate fino ad età avanzata); forse proprio in questo periodo devono essersi diffusi quel timore e quell'odio verso re o tiranni che furono caratteristici di Roma e della stessa Etruria, diventando una sorta di espressione fondamentale dell'ideologia repubblicana. Ma in qualche caso la fine della tirannia è direttamente seguita dal sorgere di un regime democratico, come a Taranto e a Siracusa. Senza dubbio la presenza di Atene in Italia dovette avere una influenza determinante sui processi di democratizzazione delle *poleis* d'Italia. Verso la metà del V secolo quasi tutto il mondo greco-tirrenico faceva qualche esperienza di democrazia e di rinnovamento delle costituzioni e delle leggi che, pur aspirando a concezioni ideali dello stato, anche a causa della loro instabilità non ebbero l'effetto di riportare quelle città alla loro antica prosperità. Possiamo tra l'altro ricordare a Roma le conquiste della plebe e l'affermazione della legislazione delle Dodici Tavole, che si disse ispirata ad Atene.

Un altro aspetto saliente di questo periodo, conseguente anch'esso in parte notevole ai contatti di Atene con l'Italia, è il diffondersi dello spirito della classicità, che si manifesta soprattutto nei fenomeni artistici della Magna Grecia e della Sicilia, ma con una certa diffusione anche nell'area tirrenica non greca. Nello stesso tempo, dopo le guerre persiane si è venuta manifestando sempre più chiaramente una tendenza a contrapporre i Greci e i barbari che, in Italia, è causa dell'affievolirsi del sentimento di unità dell'antica *koiné* greco-tirrenica. D'altra parte il mondo italico, inclusa in primo luogo l'Etruria, non sembra reggere il passo con i grandi progressi del pensiero e della creazione della Grecia classica, comprese le colonie. La civiltà del mondo etrusco-italico resterà nel suo complesso arretrata rispetto alla civiltà del mondo greco, assumendo un carattere provinciale: non più partecipe di una comune esperienza, ma se mai imitatrice più o meno passiva; ciò che perdurerà fino alla fine della storia dell'Italia preromana.

Italia senza pace nel IV secolo.

Ora noi conosciamo tutti i vecchi e nuovi elementi che s'incontrano e si agitano nel crogiuolo dell'area italiana al principio del IV secolo. L'età che si apre sarà cruciale per il destino dell'Italia. In un progressivo declino di antiche comunità e culture, in un ancora informe sviluppo di giovani forze, in un'incessante collisione di differenti stirpi, attraverso continue sanguinose guerre il mondo italico sembra raggiungere il culmine della sua crisi. Ma esistono anche fermenti ed impulsi che preparano nuovi e più stabili sistemi; inoltre sintomi di rinnovamento nella cultura e nell'arte s'intravedono sotto l'influenza della tarda classicità della Grecia.

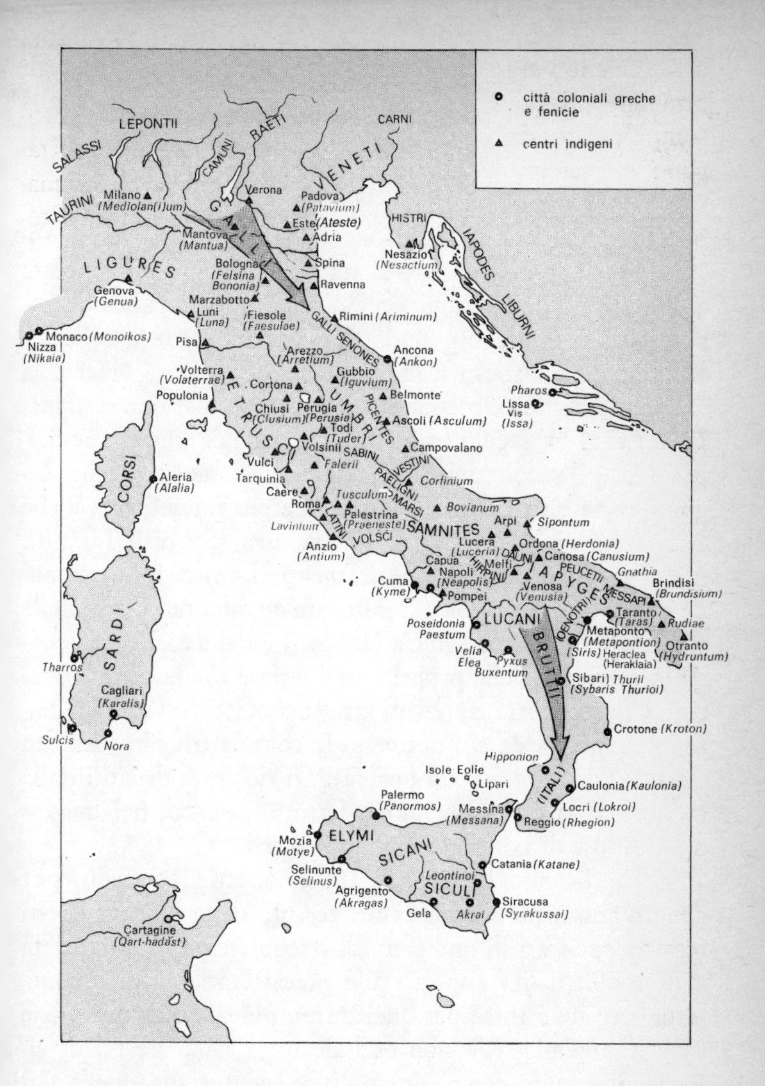

Fig. 10. - Quadro generale delle popolazioni e dei centri principali dell'Italia antica tra il V e il III secolo a.C.

Volendo sintetizzare preliminarmente gli aspetti e gli orientamenti salienti di questi decenni, come guida alla comprensione dei confusi avvenimenti che in essi si svolgono, porteremo la nostra attenzione sui punti seguenti:

1. L'organizzazione per città-stati e i relativi equilibri, tipici dell'età arcaica, sono decaduti e superati. Si sostituisce ad essi da un lato la tendenza sempre più spiccata ai tentativi d'imposizione egemonica o imperialistica di singole città o di singoli condottieri; da un altro lato l'associazione delle città in leghe politiche destinate a vincere la debolezza del loro isolamento attraverso un'azione comune. In verità il IV secolo fu in Italia, a parziale imitazione della Grecia, il secolo delle leghe, il cui sistema appare in Magna Grecia e in Etruria e si estende per mimetismo anche alle popolazioni italiche di lingua osca (Sanniti, Lucani).

2. Attenuandosi ulteriormente il senso di una comune civiltà greco-tirrenica, sembra ravvivarsi nei Greci delle colonie della Magna Grecia (Italioti) e della Sicilia (Sicelioti) la coscienza della propria originaria e fondamentale grecità, che comporta rinnovati stretti contatti con le città della madrepatria da cui derivano le colonie (di Siracusa con Corinto, di Taranto con Sparta). La richiesta di aiuti dalla madre patria porta un nuovo fattore, esterno, nel quadro dei conflitti di potere del mondo italico.

3. I "nuovi arrivati" Italici orientali e Galli, pur penetrando profondamente nel tessuto della vecchia Italia, restano collocati in una sfera di irrequietezza, di precarietà e di conflittualità rispetto alle preesistenti entità urbane, fatta eccezione forse per quel terreno ideale d'incontro che fu la Campania. Ciò non esclude tuttavia il crearsi di almeno due salde compagini politico-territoriali: quella dei Sanniti nel Mezzogiorno della penisola e quella dei Galli nell'Italia settentrionale (che da loro prese e conservò fino in età romana il nome di Gallia).

4. Concomitante con l'intreccio di tutti questi diversi elementi si affaccia, soprattutto nella seconda metà del

secolo, un fattore imprevisto e oseremmo dire silenzioso, cioè la crescita politico-militare di Roma, destinata a chiudere questa età e l'intero ciclo della storia italica (come vedremo nel prossimo capitolo), ma per il momento da considerare solo come una delle componenti del quadro generale.

5. Può ricordarsi che esiste sempre, marginalmente, il pericolo più o meno latente dell'imperialismo cartaginese, la cui influenza sui fatti d'Italia è soltanto indiretta, almeno per quel che concerne il periodo in discussione.

I primi decenni del IV secolo sono caratterizzati da un lato dalle punte più aggressive dell'avanzata dei Galli nella penisola e dei Lucani verso il Sud, da un altro lato dalla politica espansiva di Dionisio di Siracusa in Italia e attorno all'Italia. Questo grande generale e statista iniziò la sua fortuna fronteggiando e respingendo il pauroso risveglio della potenza di Cartagine che minacciava di assoggettare definitivamente l'intera Sicilia; quasi tutta la grecità dell'isola salvata lo riconobbe come suo capo con il titolo di arconte (392 a.C.). Con Dionisio riprende ed è portato al suo culmine il perseguimento degl'ideali di potenza che avevano caratterizzato la storia di Siracusa nel V secolo. Assicurato sostanzialmente il dominio della Sicilia il tiranno si rivolge all'Italia affrontando la lega italiota capeggiata da Reggio e sconfiggendola con l'aiuto dei Lucani già prementi sulle colonie greche (386): presa e devastata Reggio, tutta l'estremità occidentale della penisola passa sotto l'egemonia siracusana. Negli anni immediatamente seguenti si attua un disegno politico di ancor più vasta portata, con azioni navali compiute lungo le coste del Mare Adriatico e del Mar Tirreno che sembrano quasi voler chiudere in una morsa la penisola italiana per imporre quanto più lontano possibile il controllo di Siracusa. In Adriatico, oltre ad alcune fondazioni sulla costa orientale (collegate ad interessi di Dionisio per l'Epiro), si creano le colonie di Ancona e di

Adria, quest'ultima antico porto veneto-etrusco come sappiamo. Nel Tirreno una spedizione siracusana di sessanta triremi ha come esito il saccheggio del santuario di Pyrgi porto di Caere (384); è possibile che essa abbia avuto come obiettivo la zona mineraria, e che in questa occasione sia stato fondato un « Porto siracusano » in Corsica.

Queste imprese sono in parte favorite, in parte condizionate dagli eventi interni della penisola, con i quali esse s'intrecciano. Contemporaneamente all'ascesa di Dionisio si determinano la conquista di Veio da parte dei Romani e le incursioni dei Galli in Etruria, contro Roma (incendio gallico intorno al 386) e fino in Puglia, nonché una sconfitta dei Galli da parte dei Ceriti in una località imprecisabile dell'Italia centrale. Con Siracusa nasce un giuoco di rapporti per cui alla tradizionale ostilità tra Siracusani ed Etruschi e ai conflitti tra Etruschi e Galli corrisponde un avvicinamento tra Dionisio e i Galli. Questo fatto è in sé singolare, considerata la grande lontananza e differenza tra le due parti, ma comprensibile anche alla luce dei possibili reciproci contatti in Puglia, nelle Marche e soprattutto sulla fascia costiera dell'Italia settentrionale dove potrebbe essere più evidente un'intesa in funzione antietrusca. Per quel che riguarda il versante tirrenico si è supposto che l'offensiva diretta di Dionisio contro l'Etruria sia stata concepita contando tra l'altro sul fiancheggiamento delle bande galliche penetrate nel territorio etrusco e conquistatrici di Roma. È possibile anche che fin da questo periodo mercenari gallici siano entrati a far parte dell'esercito siracusano.

Una nuova guerra scoppiata con Cartagine nel 383 ebbe notevoli riflessi in terra d'Italia. Riprese l'opposizione delle città greche nell'odierna Calabria, e questa volta esse furono validamente aiutate dai Cartaginesi e dagli stessi Lucani. Dionisio occupò Crotone, ma le operazioni continuarono ad essere condotte stancamente sia in Italia sia in Sicilia fino alla pace del 374. A questo punto noi vediamo l'Italia meridionale divisa in una perdurante zona d'influenza siracusana e, sopra un territorio più vasto, in una nuova lega italiota formata dalle città di Taranto, Metaponto, Eraclea e Thurii sotto la guida di Taranto governata dal saggio pitagorico Archita.

Specialmente nei suoi ultimi anni Dionisio spostò i suoi interessi politici e militari dall'Italia alla Grecia, dove aiutò Sparta, antica fedele alleata di Siracusa, e quindi anche Atene, acquistando notevole prestigio nel mondo greco. Alla sua morte (367) il figlio Dionisio ne ereditò il potere ed anche gli orientamenti e gl'impegni per quel che riguarda l'Italia e gli affari adriatici (in questi ultimi sollecitato dall'ammiraglio e storico Filisto, già consigliere di Dionisio il vecchio, poi esiliato ed ora richiamato a Siracusa). Ma la saldezza della tirannia fu scossa da correnti politiche contrastanti, nel cui giuoco entrò anche il grande filosofo Platone e che sfociarono in una vera e propria guerra civile promossa da Dione zio di Dionisio inizialmente sostenitore di idee liberali antitiranniche e poi divenuto anch'egli per breve tempo tiranno. Può essere interessante ricordare che in tutti questi avvenimenti ebbero grande importanza i mercenari, già costituenti il nerbo degli eserciti del primo Dionisio e divenuti il sostegno e il simbolo della tirannide; si è accennato all'impiego dei Galli, ma è presumibile che la maggior parte delle truppe mercenarie fosse reclutata tra gl'Italici di lingua osca, Sanniti, Campani, Lucani, come quel Mamerco che a capo di suoi conterranei si creò una signoria a Catania nel momento dell'anarchia.

Con il crollo del potere centrale a Siracusa si accompagna la fine della sua egemonia, e di riflesso si determina una situazione sempre più precaria e confusa nell'Italia meridionale. La pressione dei Lucani tocca il suo punto culminante con il costituirsi della lega dei Bruzi nel cuore dell'odierna Calabria (356). Le antiche colonie greche, perduto il territorio, mantengono a stento la loro indipendenza; alcune, come Terina o Ipponio, sono totalmente sopraffatte. Ma negli anni successivi una nuova minaccia si profilerà da parte dei Messapi di Puglia, che con un improvviso sussulto espansivo, aiutati dai Lucani, arriveranno addirittura a conquistare Metaponto ed Eraclea; si comprende come fosse ormai disfatta anche la lega di Archita. Va ricordato d'altra parte che gli abitanti della Puglia erano in questo periodo a loro volta fortemente pressati e in parte sottomessi dai Lucani.

Questi decenni centrali del IV secolo rappresentano una fase particolarmente turbolenta anche più a nord. Qualche segnalazione delle fonti storiche ci informa che continuano a più riprese le scorrerie dei Galli, senza esiti stabili, nel Lazio e fino in Campania. Mercenari sbandati saccheggiano le coste del Lazio. Volsci, Equi e Latini seguitano a scontrarsi variamente con Roma, la cui politica espansiva, dopo la caduta di Veio, è diventata allarmante per le città dell'Etruria meridionale. Tra queste Tarquinia ha assunto ora una funzione chiaramente egemonica, presentandosi tra l'altro come prototipo e garante di un ordine repubblicano di tipo oligarchico: tra il 358 e il 351 conduce una guerra contro Roma; il suo supremo magistrato e generale Aulo Spurinna (di cui possediamo l'elogio biografico in una iscrizione latina di età romana imperiale) abbatte il regime monarchico a Caere, filoromana fin dai tempi dell'incendio gallico, e ne attraversa il territorio per prendere Roma alle spalle dalla foce del Tevere; ma la manovra non riesce e la guerra terminerà senza conseguenze pratiche, se non per il ribadirsi di un più stretto legame di Caere con Roma. Mentre nel complesso l'Etruria tirrenica, specialmente per quel che riguarda le città settentrionali, sembra aver conservato una condizione di relativa tranquillità e prosperità (si conoscono soltanto moti sociali, una « guerra servile », e poi lotte di fazioni ad Arezzo), l'etruscità d'oltre Appennino chiude proprio ora definitivamente il suo ciclo: i Galli ci appaiono ormai stanziati anche a Bologna e a Marzabotto; il porto di Spina è interrato e abbandonato. Tuttavia resta ancora il problema di quei « pirati tirreni » menzionati da varie fonti come operanti tra il IV e il III secolo nell'Adriatico e fin nell'Egeo, nei quali potrebbe vedersi un risveglio di attività marinare di residui gruppi etruschi favorita dalla fine del controllo siracusano alle foci del Po e forse da un nuovo atteggiamento dei Galli verso gli Etruschi sottomessi.

Con la venuta del corinzio Timoleonte a Siracusa e del re di Sparta Archidamo a Taranto, più o meno nello stesso momento (343-342), si apre una nuova pagina della storia della grecità nell'area italiana: quella degl'interventi di uomini politici e capi militari dalla madrepatria per tentare di porre fine ai disordini e alle minacce esterne, con la conseguenza che l'Italia tende a diventare per un certo periodo terra di avventura e di conquista. L'esperienza di Timoleonte fu avveduta, benefica e risanatrice portando la Sicilia greca, dopo gli eccessi disgregatori delle tirannidi e delle lotte intestine, ad una rinnovata unità rispettosa delle autonomie cittadine, ma facente capo a Siracusa retta a regime moderatamente democratico. Poco sappiamo della missione di Archidamo, il quale peraltro logicamente deve aver tentato di porre argine al dilagare dei Lucani e dei Messapi, combattendo contro i quali ultimi morì nel 338. A sostituirlo fu invitato dai Tarantini qualche anno più tardi (la cronologia è piuttosto incerta) Alessandro il Molosso, re dell'Epiro e zio di Alessandro Magno, le cui imprese ebbero un'assai maggiore intensità e risonanza. Egli infatti da un lato affrontò il pericolo più immediato per Taranto, combattendo e vincendo i Messapi, anche con l'aiuto delle stirpi pugliesi più settentrionali, cioè i Peucezi e i Dauni, e riconquistando Eraclea e Metaponto; da un altro lato attaccò Bruzi e Lucani, portando l'offensiva in pieno territorio di questi ultimi per "liberare" le antiche colonie greche del Tirreno fino alle soglie della Campania. Qui si trovò però di fronte il blocco dei Sanniti, contro i quali stipulò un trattato di amicizia con Roma. Di ritorno nel sud sgominò la lega dei Bruzi e ne prese la capitale Cosenza.

Se la morte non avesse interrotto improvvisamente le sue operazioni, Alessandro il Molosso avrebbe probabilmente ripristinato l'antica immagine della Magna Grecia annullando o riducendo le conquiste italiche dei precedenti decenni. Sembra che fosse nei suoi progetti ricostituire una lega italiota con centro a Thurii, in posizione più conveniente di Taranto, che pure in questo periodo – e diciamo pure in questo secolo – godeva di un indiscutibile primato, oltre che politico, intellettuale ed artistico nell'ambito della grecità d'Italia. Ma le vere intenzioni del Molosso erano quelle di crearsi un dominio personale nel territorio italiano, analogo a quello che Alessandro Magno, sia pure con ben altre proporzioni, si andava conquistando in Oriente. È questo un nuovo tentativo di imposizione egemonica dall'esterno dopo quello di Dionisio di Siracusa, ma con caratteristiche che già preannunciano i modelli dei regni ellenistici. D'altro canto non è neppure escluso che l'impresa del Molosso sia stata gradita e favorita da Alessandro Magno, al quale vari cenni delle fonti antiche attribuiscono velleità espansionistiche anche in Occidente; si raccontava tra l'altro di un'ambasceria romana presso il Macedone più o meno in coincidenza con l'inizio della spedizione di Alessandro il Molosso e poi anche di presunti atti di omaggio di Etruschi, Lucani e Bruzi convenuti a Babilonia con i rappresentanti di altri popoli occidentali. Dopo il sostanziale insuccesso dell'azione di Alessandro il Molosso seguiranno altri interventi esterni dal mondo greco. Anticipando i tempi ricorderemo: il tentativo del principe spartano Acrotato di abbattere il regime di Agatocle in Sicilia con l'aiuto delle navi di Taranto (315-314); le successive operazioni del fratello di Acrotato, Cleonimo, sbarcato in forza a sostegno di Taranto contro i Lucani e i Romani, anch'egli con l'ambizione di costruirsi un proprio dominio per cui s'impossessò di Metaponto e poi impegnato in un'incursione navale sull'Adriatico fino alla terra dei Veneti, appoggiato a Corcira (Corfù) la cui perdita segnò la fine della sua avventura occidentale (303-302); infine la grande spedizione italica di Pirro re dell'Epiro che si trovò di fronte Roma già virtualmente dominatrice della penisola italiana, cioè in una situazione politica del tutto mutata di cui si parlerà nel successivo capitolo (280-275).

In verità le vicende del Mezzogiorno andavano assumendo negli ultimi decenni del IV secolo un nuovo corso, diverso dallo schema dell'insistente conflitto tra Lucani, Bruzi, Messapi e città italiote, a causa dei fatti che maturavano più a nord. Alle spalle dei Lucani, fronte avanzato della espansione italica, si era costituita e rafforzata una potente e vastissima lega sannitica, piantata nel cuore dell'Italia tra l'Adriatico a nord della Daunia e la Campania. Sul Tirreno la crescita delle capacità politico-militari di Roma, fermata la minaccia etrusca, aveva provocato la reazione dei Latini che mal ne tolleravano l'egemonia nella vecchia lega avente centro in Aricia; uniti con i Volsci e i Campani provocarono una guerra e furono vinti (340-338); si costituì così sotto la supremazia romana una estesa compagine territoriale che andava dall'Etruria meridionale alla Campania. Dapprima variamente amici e avversari, Sanniti e Romani finirono con lo scontrarsi duramente in un conflitto armato durato oltre venti anni (326-304), che progressivamente assunse il carattere di lotta per il predominio nell'Italia centro-meridionale. Ciò che interessa più largamente la storia del mondo italico è il fatto che Roma, evadendo per la prima volta dalla sua sfera geografica, strinse precocemente legami con la Puglia settentrionale, cioè con il territorio dei Dauni, minacciati dai Lucani e verosimilmente anche dai Sanniti. Questo improvviso e imprevisto affacciarsi della potenza romana nel Sud adriatico aggiunse un altro elemento alla già complessa situazione di questa zona e non mancò di preoccupare Taranto, che comunque chiudeva il passo alle navi romane nel suo golfo ribadendo almeno teoricamente la propria supremazia sulle città dell'antica lega italiota di Archita.

L'altro fattore innovatore e sconvolgente sul finire del secolo è la rinascita dell'espansionismo siciliano sotto Agatocle, audace avventuriero e despota senza scrupoli il quale in qualche modo riprende quello che era stato al principio del secolo il sogno politico di Dionisio. Egli aveva già combattuto in Italia liberando Crotone dai Bruzi (330). Acceso fautore della democrazia e perciò sospetto ai regimi oligarchici delle città italiote, nel 318 s'impossessa del potere a Siracusa, nel 311 intraprende una lunga e sanguinosa guerra contro i Cartaginesi portando addirittura l'esercito in Africa, ma senza conseguire risultati decisivi quanto al dominio di Cartagine in Sicilia. È degno di nota che in questa guerra parteciparono in aiuto di Agatocle diciotto navi etrusche, con un rovesciamento dell'antica tradizionale politica filocartaginese e antisiracusana dell'Etruria; ma anche qui, se non si tratta di una casuale iniziativa di una qualsiasi singola città etrusca (come è ben possibile), potrà ravvisarsi un riflesso dei fatti nuovi determinati dall'accresciuta potenza di Roma, che proprio in quegli anni combatteva e vinceva la lega etrusca (311-308) e stipulava un trattato di non aggressione con Cartagine (306): ciò di cui avremo più avanti occasione di occuparci. Riunificata e pacificata la Sicilia greca e assunto il titolo di «re dei Sicelioti» (proponendosi così di imitare i sovrani ellenistici), Agatocle affrontò la conquista dell'Italia meridionale, scontrandosi a più riprese con i Bruzi e alleandosi con gli Iapigi della Puglia; non sembra tuttavia che la sua supremazia si sia estesa oltre l'odierna Calabria o abbia intaccato la sfera d'influenza di Taranto; viceversa la conquista di Corcira (Corfù), seppure per breve tempo, indica un interesse per l'Adriatico e più generalmente per l'Oriente greco. Ricordiamo che tutta l'Italia è praticamente presente nelle imprese di Agatocle con mercenari campani e sanniti, etruschi, liguri, celti.

V.
CONTINUITÀ ITALICHE NELL'UNIFICAZIONE ROMANA

Due « storie » parallele.

Fra il 338, anno in cui Roma batté la coalizione latino-volsco-campana creando una delle maggiori strutture politiche regionali della penisola, e il 295 in cui fu disfatta a Sentino, come vedremo, la grande alleanza dei Sanniti con i Galli, gli Umbri e parte degli Etruschi con la conseguente strada aperta alla supremazia romana sull'intera penisola, in questo breve periodo di tempo, poco più della durata di una generazione, maturarono eventi di portata decisiva per la storia del mondo antico. Una città-stato (Roma) e una lega (la lega latina), non diverse formalmente dalle altre città-stato e dalle altre leghe, etrusche, greche, esistenti in Italia, si trasformarono in maniera quasi prodigiosa, e irreversibilmente, nella potenza arbitra del destino del mondo italico e capace di ogni ulteriore espansione. Prima di allora non esistono, come si è visto nei precedenti capitoli, una romanità o una latinità particolarmente emergenti nel generale quadro italiano: diciamo pure che il loro peso effettivo è inferiore politicamente e culturalmente a quello della etruscità e della grecità: se la nostra attenzione è portata con qualche privilegio su Roma e sul Lazio ciò dipende dal fatto per così dire soggettivo che per Roma, e di riflesso per il Lazio, ci è pervenuta una tradizione storiografica che ci consente di esplorarne anche le fasi più antiche, come non accade altrove. Fino allo scorcio del IV secolo Roma e Lazio appartengono alla storia generale del mondo italico.

Ma con gli eventi che abbiamo sopra indicati si determina una svolta epocale che porta Roma alla qualità di protagonista della scena italiana; cosicché non crediamo ardito affermare che solo da allora e non prima si può cominciare a parlare di una « storia romana » con valori universali. Ciò non significa tuttavia che si sia determinato un taglio netto tra due cicli storici: cioè che la « storia romana » abbia annullato e sostituito la « storia italica ». Tutto ciò che vedremo in questo capitolo dimostra che pur nella nuova situazione esiste una rilevante continuità delle strutture etnico-linguistiche, culturali, amministrative di gran parte dei territori e delle popolazioni dell'area italiana per almeno due secoli e cioè tra la fine del IV e il principio del I secolo a.C., in quella che chiamiamo età ellenistica adottando il termine cronologico dal mondo greco. La continuità dell'esperienza e della coscienza italica convive con la pur fondamentale novità dell'egemonia di Roma: la « storia italica » si svolge ancora parallelamente alla « storia romana ».

Il principio della esperienza romana in fieri e in atto è rappresentato dalla tendenza ad imporre un sistema unitario con la forza delle armi e con l'abile pragmatismo della politica. Questo modello d'azione si sovrappone alla pluralità e alla staticità delle tradizioni italiche, senza alterarne l'immagine formale: quasi come due realtà che si affrontino su piani diversi. Non si può negare che la trasformazione che si attua in Italia in questo periodo sia sostanziale e radicale: alla molteplicità delle forze in giuoco, con i loro reciproci equilibri e contrasti, si sostituisce un incontrastato potere unico; dalla incessante conflittualità si passa ad una condizione pacifica garantita dal sistema delle alleanze con Roma; una fitta rete di colonie romane e latine è disseminata sull'intero territorio italiano; in luogo degli apporti dal mondo esterno all'Italia propri delle età precedenti si manifesteranno, inversamente, azioni dall'Italia verso l'esterno con le guerre e le conquiste romane; muteranno le condizioni economiche e sociali, con il progressivo declino della piccola e media proprietà terriera, la diffusione del latifondo e del lavoro servile, l'avvento di nuovi ceti capitalistici a fianco delle vecchie oligarchie.

Tutto ciò premesso e considerato, restano tuttavia altrettanto innegabili – e nella loro sfera evidentissime – le ragioni di continuità. Esse potranno riconoscersi in due diverse prospettive. Da un lato la stessa politica di Roma raccoglie e sviluppa alcuni motivi fondamentali caratteristici delle varie esperienze storiche succedutesi, o convissute, in Italia; e di questo aspetto, per così dire di continuità intrinseca, ci occuperemo in primo luogo. Da un altro lato c'è il fatto del passaggio, spesso senza scosse e pressoché inavvertito, dei territori più estesi e dei settori più rappresentativi del mondo italico (Etruschi, Umbri, Sanniti, Iapigi, Greci) dalle fasi di assoluta indipendenza alla condizione di soggezione a Roma nel quadro della grande federazione romano-italica. Solo in alcuni casi e all'inizio il passaggio è traumatico: comporta cioè conflitti armati con Roma (guerre sannitiche, lotte contro le città dell'Etruria meridionale, guerra di Taranto). Ma non si può parlare di "conquista" se non per i territori annessi o più intensamente colonizzati, che sono di regola i meno lontani dalla città dominante, comprendendo il Lazio, la Campania, una piccola parte dell'Etruria, la Sabina e più generalmente l'Italia centrale sabellica fino al Piceno. Per il resto l'alleanza, anche se coatta e onerosa, non sopprime le autonomie locali né cambia il volto delle comunità né altera la coscienza della loro individualità etnica. Diremo cioè che la maggior parte dei popoli italici deve aver considerato l'imporsi del primato di Roma come un episodio e non come la "fine" della loro storia.

La fine verrà come vedremo soltanto quando circostanze proprie della situazione del mondo italico e il peso dell'espansione romana nel Mediterraneo avranno reso insostenibile la struttura dello stato federale e le condizioni dei suoi abitatori, imponendo la semplificazione giuridica dell'annessione a Roma dell'intero territorio dell'Italia peninsulare attraverso la concessione della cittadinanza romana alla relativa popolazione: ciò che avverrà al principio del I secolo a.C., seguìto alcuni decenni più tardi dalla estensione di questo processo finale di romanizzazione anche all'Italia settentrionale fino alle Alpi. Dopo questi eventi non si parlerà più di storia italica, ma solo di tradizioni italiche perduranti o riaffioranti nel tempo: delle quali tratterà il nostro epilogo.

La pacificazione dell'Italia.

Le guerre condotte da Roma negli ultimi decenni del IV secolo e nei primi decenni del III rappresentano la fase culminante delle lotte del bellicoso IV secolo ed in pari tempo la premessa della pace interna in Italia. Riassumiamone descrittivamente lo svolgimento cercando di tener conto per quanto possibile dei diversi punti di vista, così dei vincitori come dei vinti, nella prospettiva, che è qui perseguita, di una comune storia italica, pur trattandosi di materia per sua natura squisitamente interessante la storia romana.

Si è già ricordata la decisiva sottomissione dei Latini nella guerra del 340-338. Il rapporto dei Latini con Roma era stato fin dai tempi arcaici un ambiguo oscillare tra la parità di Roma con le altre città formanti la lega latina e la sua effettiva supremazia, accentuatasi quest'ultima, nel corso del IV secolo, fino a provocare la reazione armata del 340. Che Roma svolgesse una sua politica autonoma di potenza rispetto ad un complesso di comunità ad essa legate da stretti vincoli di origine, di lingua, di storia è dimostrato tra l'altro dalle guerre e conquiste d'Etruria. Reciprocamente i Latini si erano collocati in una posizione di distinzione e di antagonismo rispetto a Roma già in età arcaica alleandosi con i Greci di Cuma ed ora trovando appoggio nei Volsci (loro vecchi nemici in quanto conquistatori di una grossa parte del Lazio), negli Aurunci e nei Campani. Diremo in proposito che è interessante questo ripetuto ricorso alla Campania, anche per quel che saranno le nuove prospettive dell'espansionismo romano e le cause del conflitto romano-sannitico, tenuto conto dell'importanza geopolitica di questa regione quale terreno d'incontro e di scontro delle maggiori stirpi della storia italica. Quanto ai Latini si può affermare che la sconfitta del 338 segnò la fine della loro identità nazionale. I Romani ne frammentarono il territorio anche a brevissima distanza, con i trattamenti più differenziati: annessioni, alleanze, colonie. Il solo ricordo di una *latinitas* e del dualismo Roma-Lazio resterà affidato alla distinzione tra colonie di diritto romano e colonie di diritto latino, rispettivamente equivalenti a dirette fondazioni di Roma e a fondazioni della lega latina, poi differenziate soltanto in materia di diritti civili.

Sottomessa e diciamo pure per il momento pacificata una fascia dell'Italia tirrenica comprendente i territori dei Latini, dei Volsci, degli Aurunci e di parte dei Campani, la nuova compagine politica si trovava a confinare con i seguenti raggruppamenti: l'Etruria libera a nord-ovest, le popolazioni italiche del centro della penisola (Sabini, Equi, Marsi, Peligni, ecc.) a nord-est, la lega sannitica a sud-est. Ponendoci nella prospettiva di tutte queste genti e formazioni, dobbiamo credere che per esse l'attivismo romano fosse un elemento impensato ed estraneo ai loro tradizionali orizzonti politici: ciò che spiega quella che fu di regola una certa iniziale incomprensione della sua pericolosità. Tanto più facilmente Roma riuscì ad imporre loro in breve tempo (prima della fine del IV secolo), con le armi e con la diplomazia, accordi e perfino alleanze bilaterali che possiamo giudicare come un rapporto ambiguamente oscillante tra la effettiva supremazia romana e l'autonoma decisione delle comunità federate. Si prospettava così fin d'allora un sistema egemonico comprendente gran parte della penisola, tanto più che esso veniva a includere anche la Puglia settentrionale come vedremo subito.

Ma i modi di questo processo furono diversi. Con il gruppo più compatto, cioè con i Sanniti, vi fu scontro aperto, lungo, con rallentamenti e riprese, con vicende alterne, ma con sempre più decisa superiorità dei Romani. Prescindendo da antecedenti fasi di ostilità e di amicizia di cui si avrebbe notizia dalle fonti storiche, il conflitto scoppiò nel 326 con inizio in Campania dove s'intersecavano gl'interessi delle due potenze e Roma dopo la guerra latina andava via via allargando la propria egemonia. Ma subito con arditissimo disegno i Romani si portarono alle spalle del territorio sannitico in Puglia, accolti con grande favore dalle popolazioni locali, cioè dai Dauni e probabilmente anche dai Peucezi, da lungo tempo minacciati dai Lucani e dai Sanniti e perciò desiderosi di vederne allentata la pressione da un aiuto esterno. S'iniziò così il tentativo di accerchiamento del blocco sannitico, la cui staticità difensiva contrastava con il dinamismo aggressivo dei Romani. Vi fu tuttavia un momento di reazione dopo la sconfitta romana nelle gole di Caudio (321): caddero nelle mani dei Sanniti Lucera in Puglia e la colonia di Fregellae nel territorio dei Volsci, defezionarono in Campania Nocera e Capua; tuttavia presto si ristabilì la situazione a vantaggio dei Romani. In Puglia fu fondata (o rifondata?) la colonia latina di Lucera nel 315; in zona volsca fu chiusa la via del Lazio; si ristabilì e completò la conquista della Campania. La guerra continuò più o meno stancamente sui due fronti del versante adriatico e del versante tirrenico nel corso degli anni successivi, fino a quando i Sanniti chiesero la pace con patto d'alleanza (304). La nuova area federata includeva allora naturalmente, oltre il Sannio, tutta la fedele Daunia con le principali città di Arpi e Canosa.

Le vicende della sottomissione delle genti italico-orientali a nord del Sannio, delle quali sopra si è fatto cenno, sono per molti aspetti collegate con quelle della guerra sannitica. L'azione romana in Puglia implica necessariamente accordi con i Marsi, i Peligni, i Marrucini e i Frentani (pur essendo questi ultimi di stirpe sannitica, ma non partecipi, a quanto sembra, della lega), giacché non sarebbe stato possibile un passaggio di truppe se non attraverso il loro territorio. Si ha l'impressione che non vi sia stata in un primo tempo ostilità o diffidenza verso Roma. Lo stesso può dirsi per gli Equi e per quei Sabini che non erano già entrati sotto il diretto dominio di Roma. Diversamente con i Vestini vi furono azioni di guerra. Comunque nel corso del grande conflitto romano-sannitico non mancarono singole defezioni di questi diversi popoli, verosimilmente anche per un richiamo di affinità etnica con i Sanniti. È notevole che questi ultimi progettassero nel 310 di inviare aiuti in Etruria attraverso il territorio dei Marsi e dei Sabini. Ma la via per la Puglia rimase costantemente aperta. Alla fine tutti chiesero pace contemporaneamente ai Sanniti nel 304 ed entrarono in alleanza con Roma, che estendeva così la sua sfera d'influenza al medio Adriatico.

Il terzo settore confinante, quello etrusco, entrò in agitazione soltanto nel 312. Fino ad allora, fatta eccezione per Veio annessa, per Caere collegata a Roma da una lunghissima tregua e da un rapporto di cittadinanza *sine suffragio* (cioè originariamente onoraria e senza diritti elettorali), oltreché per Tarquinia impegnata da una pace quarantennale, l'Etruria per tutta l'estensione del suo vastissimo territorio era rimasta del tutto indipendente. Ad un certo momento, sicuramente in rapporto con l'andamento della guerra sannitica, gli Etruschi dovettero aver chiara la percezione della temibilità della potenza romana, e perciò si decisero ed apprestarono ad affrontarla. Le notizie storiche parlano di un'azione collettiva della lega etrusca, fatta eccezione per Arezzo; ma si può supporre che tutte le principali città dell'Etruria settentrionale abbiano affrontato l'impegno della guerra meno decisamente delle città meridionali:

e a proposito di queste ultime ci riferiamo soprattutto a Tarquinia e a Volsinii. I collegati tentarono invano di impossessarsi della roccaforte di Sutri che bloccava il passo verso il territorio romano; ma una diversione dei Romani verso il cuore dell'Etruria portò ben presto ad una tregua con i maggiori centri del nord, Perugia, Cortona e Arezzo. La guerra si spense nel 308 a seguito di insuccessi dei Volsiniesi e forse anche dei Tarquiniesi che ebbero rinnovata la loro antica tregua quarantennale. Notiamo che con le città dell'Etruria non furono adottati subito accordi con la concessione dell'alleanza, per quanto richiesta, ma si usò la formula delle *indutiae* o tregue, forse più rispettosa della piena indipendenza della politica estera dello stato con cui veniva stipulata, ma più provvisoria ed in certo senso minacciosa; le alleanze seguiranno comunque presto, presumibilmente caso per caso, in date non sempre precisabili.

Conviene a questo punto segnalare sia pure di scorcio che alla potenza acquisita dai Romani nella loro espansione terrestre fa riscontro una incipiente attività navale che viene a sostituire direttamente quella esercitata fino allora, anche in rapporto agli interessi di Roma, a nord da Caere e a sud da Anzio (ma ora vengono coinvolti anche gli « alleati navali » dei porti campani). Dal punto di vista della storia italica la nostra attenzione si concentrerà su due fatti significativi: in primo luogo il trattato del 306 fra Roma e Cartagine che, in una nuova ripartizione delle sfere d'influenza, veniva a sancire di fatto la supremazia di Roma sulla penisola italiana; in secondo luogo l'accordo fra Roma e Taranto, verosimilmente già in atto alla fine del IV secolo, che interdiceva ai Romani la navigazione a nord del Capo Lacinio, cioè della punta di Crotone, che è quanto dire nel golfo tarantino, riconoscendo implicitamente una loro piena libertà d'azione marittima nel Tirreno e nello Ionio meridionale.

Ma l'Italia era ancora lungi dall'essere dominata e pacificata. L'incredibilmente rapida affermazione politico-militare di Roma negli ultimi decenni del IV secolo provocò una inevitabile reazione in tutto il mondo italico. A questo punto, accanto ai Sanniti e agli Etruschi desiderosi di rivincita, tornano in giuoco anche i Galli sempre pronti ad affacciarsi nella penisola dai loro territori nordici e adriatici, ed emerge una presenza storica degli Umbri. Negli anni tra la fine del IV e il principio del III secolo la guerra serpeggiò su vari fronti: si ebbe tutta una serie di violazioni di tregue e di azioni militari in Etruria; i Romani portarono aiuto ai Lucani contro i Sanniti completando la loro tradizionale strategia di accerchiamento del Sannio (l'elogio del sarcofago di Lucio Cornelio Scipione Barbato vanta la sottomissione di tutta la Lucania): si aprì pertanto, tra l'altro, la possibilità di un contatto territoriale con i Greci del sud e si destò l'ostile diffidenza di Taranto. Ma finalmente nel 296 viene a schierarsi contro Roma una coalizione di *quattuor gentes*, quattro nazioni, i Sanniti appunto e gli Etruschi e i Galli e gli Umbri: espressione effimera di un'Italia unita indipendentemente da Roma, quale mai era stata e quale mai sarà più. L'iniziativa fu dei Sanniti e del loro capo Gellio Egnazio, ma la concentrazione delle truppe alleate avvenne nell'Umbria settentrionale non lontano dal territorio dei Galli, certamente i Senoni, che davano il loro apporto più ingente e agguerrito. La grande battaglia di Sentino (Sassoferrato nelle Marche odierne), benché combattuta essenzialmente dai Sanniti e dai Galli, segnò la sconfitta e la dissoluzione dell'intera coalizione (295). Più o meno contemporaneamente erano battuti in Etruria i Chiusini e i Perugini, l'anno successivo i Volsiniesi; veniva presa Roselle; si rinnovavano le tregue con Volsinii, Perugia, Arezzo. I Galli furono messi per il momento fuori giuoco. Operazioni militari continuarono negli anni successivi nell'area appenninica centrale (dove furono sottomessi Sabini e Pretuzi) e intorno al territorio dei Sanniti, che alla fine furono costretti a chiedere pace dopo una clamorosa disfatta subìta dal loro capo Gavio Ponzio e dopo la fondazione della colonia latina di Venosa al confine tra la Puglia e la Lucania (291); si rinnovarono i patti di alleanza, ma il paese fu frazionato e in qualche parte annesso con cittadinanza *sine suffragio*.

Pochi anni più tardi, a partire dal 285, riprendevano ostilità in varie parti d'Italia. I Galli Senoni avanzarono in Etruria, assediarono Arezzo e insieme con altri Etruschi sconfissero sanguinosamente l'esercito romano accorso in aiuto della città; ma i Romani reagirono invadendo il territorio gallico, l'*ager Gallicus*, lungo la costa adriatica, dove fondarono la colonia di Sena Gallica (Senigallia). Nel contesto di questi avvenimenti si colloca l'ardita scorreria dei Galli Boii, forse misti con i Senoni e comunque affiancati da alcuni Etruschi, direttamente verso Roma; l'impresa terminò con una dura sconfitta al lago Vadimone non lontano da Bomarzo nella media Valle del Tevere (283). Nel frattempo si riaccendevano le ostilità nel Sud contro Sanniti, Lucani e Bruzi. Roma prendeva le parti delle città greche nuovamente insidiate dagli Italici; liberava la città di Thurii dall'assedio dei Lucani e vi stabiliva un presidio (282); seguiva la sottomissione di Locri e infine di Reggio. Venne così accolta anche nella sfera ellenica, pacificamente e volentieri, la supremazia dei Romani. Sola eccezione restò Taranto con le sue antiche ambizioni di grande potenza, che l'avevano spinta già da qualche decennio, come sappiamo, ad avversare i progressi di Roma in Puglia e a limitarne l'espansione marittima.

Appunto a Taranto si aprì l'ultima grande vicenda della pacificazione dell'Italia peninsulare. La violazione del blocco navale, forse non coscientemente ostile, da parte di alcune navi romane che si presentarono davanti al porto della città e furono attaccate dai Tarantini provocò la guerra. Ad essa intervenne in aiuto di Taranto, ma come protagonista, Pirro re dell'Epiro che in quel momento era una delle più vivaci personalità del mondo ellenistico. Come i suoi predecessori Alessandro il Molosso e Cleonimo, dei quali si è già parlato, egli passò in Italia con un potente esercito avendo intenzione di crearsi un vasto dominio personale (280). Mentre combattevano in Etruria contro Volsinii e Vulci, i Romani si trovarono ad affrontare il nuovo pericolo; furono battuti due volte, ad Eraclea e ad Ausculum di Puglia (è noto lo spavento destato dagli elefanti); insorsero nuovamente Lucani e Sanniti. Ma Pirro non seppe aprirsi la strada verso l'Italia centrale e preferì rivolgersi contro la Sicilia per conquistarla e liberarla dai Cartaginesi, mentre questi ultimi si alleavano con Roma (278). L'impresa non riuscì e allora Pirro si rivolse ancora una volta contro Roma, che nel frattempo era riuscita a riportare ordine nella penisola; ma fu battuto a Benevento (275) e costretto a tornare in Epiro. Conseguentemente Taranto capitolava e le era imposta l'alleanza con Roma (272).

A questo punto la soggezione della penisola può dirsi completata, e in modo irreversibile. Delle tre maggiori aree etniche l'Etruria, dopo qualche anacronistico moto antiromano a Caere (274 o 273) e dopo la spedizione romana contro Volsinii per ristabilirvi l'aristocrazia spossessata dalla rivolta popolare con conseguente spostamento del sito della città da Orvieto a Bolsena (265), non presenterà più problemi; Sanniti e Lucani ebbero il territorio ulteriormente ridotto e furono obbligati a confermare in modo definitivo i vincoli di alleanza, ma per singoli gruppi, non esistendo più una lega sannitica (qualche limitata defezione si avrà nella seconda guerra punica, dopo la battaglia di Canne, per la pressione di Annibale, tra il 215 e il 210); tutti i Greci d'Italia entrarono nello stato federale, da Taranto a Reggio liberata nel 269 da un'occupazione di mercenari campani. Estranea agl'interessi romani era rimasta invece fino allora la Sicilia, sempre bipartita tra Cartaginesi in occidente e Greci nell'area orientale: in perpetua effervescenza e disunione questi ultimi dopo la morte di Agatocle; mentre i mercenari campani di Agatocle si erano impossessati di Messina e vi avevano fondato lo stato dei Mamertini (dal nome del loro dio della guerra Mamers o Mamars cioè Marte). Ora furono appunto i Mamertini, chiedendo aiuto contro Cartagine, la causa dell'intervento dei Romani nell'isola e, insieme, dello scoppio della prima guerra punica (264).

L'Italia settentrionale resta fuori del quadro fin qui delineato. In verità, nonostante i precedenti legami politico-culturali con la penisola (ci riferiamo in particolare alla etruschizzazione), essa si trovò ad essere segregata dal resto del mondo italico essenzialmente a causa della massiccia occupazione celtica, né acquisì il nome stesso di Italia se non dopo la conquista romana. La quale ultima avvenne in un contesto storico ben diverso da quello dell'assoggettamento dei territori peninsulari, e cioè quando Roma stava già assumendo una funzione di potenza mediterranea. Tra la prima e la seconda guerra punica, battuta un'ultima incursione di Celti di varie stirpi coalizzate in direzione di Roma, a Talamone nell'Etruria marittima (225), i Romani invasero la pianura padana occupando le terre dei Boii, dei Lingoni e degli Insubri e fondandovi le colonie di Cremona, Piacenza e Modena; ma la discesa di Annibale in Italia annullava totalmente queste conquiste, che dovettero essere ristabilite faticosamente al principio del II secolo. È notevole che di fronte all'antica e durevole ostilità della maggior parte delle popolazioni galliche si determina invece fin dall'inizio una politica filoromana dei Veneti, che entrano senza contrasti nella sfera dell'egemonia di Roma.

Eredità tirrenica, italico-orientale, greca nella politica di Roma.

Il primo aspetto della continuità delle esperienze italiche nella fase d'imposizione e di stabilizzazione dell'egemonia romana è rappresentato, come si diceva all'inizio di questo capitolo, dalle eredità di alcune caratteristiche e tendenze fondamentali dell'antecedente storia italica nell'azione politica di Roma: che è fatto non esterno, ma interno allo stesso processo di sviluppo della storia romana, e tuttavia lo configura, sotto questo profilo, come una prospettiva di "momenti avanzati" della storia del mondo italico.

Cominciamo dall'eredità « tirrenica », nel senso generale, già precedentemente adottato, di riferimento alle civiltà fiorite sul versante tirrenico della penisola. Sappiamo bene che queste civiltà, come la etrusca e subordinatamente la latina e la campana sino a ricongiungersi con le zone di colonizzazione greca, ebbero il loro prioritario e massimo rigoglio in età arcaica; e che successivamente esse furono in parte eclissate dalla crisi economica e dalle invasioni italico-orientali e celtiche con un certo spostamento dei motori della storia verso l'Italia interna, nordica e adriatica. L'affermazione di Roma e del suo sistema romano-latino-campano come nucleo in espansione verso il dominio della penisola può considerarsi una vera e propria reviviscenza dell'Italia tirrenica e quasi una sua rivincita sulle stirpi di lingua osco-umbra. Né ciò va inteso come un "ritorno" casuale, giacché esiste un ininterrotto e cosciente legame storico tra la Roma del VI secolo, annoverabile tra le città protagoniste della fioritura tirrenica arcaica, e la Roma del IV secolo iniziatrice di una nuova realtà politica. Il trionfo della latinità nella storia dell'Italia (e dell'intero mondo occidentale!) rappresenta uno sviluppo, sia pure imprevedibile e ingigantito, di tradizioni che hanno le loro radici nella vita delle più antiche comunità storiche dell'Italia media occidentale.

Consideriamo ora il secondo motivo di continuità. Le stirpi italico-orientali avevano proposto e tentato per la prima volta un tipo di conquista territoriale che per la sua illimitata potenzialità di espansione tendeva più o meno consapevolmente all'unificazione della penisola italiana (modello del tutto diverso da quello del vecchio espansionismo etrusco rivolto a limitate aree di colonizzazione). In questo senso si spiegano, con un'attività che irradia in tutte le direzioni, non soltanto le effettive penetrazioni di Italici di lingua osco-umbra nel Lazio, in Campania, sul litorale tirrenico a sud della Campania, in parte dei territori apuli, in Emilia, ma anche la loro incessante ostinata pressione sulle città greche dell'estremo Mezzogiorno d'Italia, come aspirazione a raggiungere tutti i mari: ciò che forse si sarebbe realizzato se non fosse intervenuta, con improvvisa deviazione della storia, l'incidenza di Roma. Fra tutte le popolazioni dell'Italia preromana, quelle che (nel IV secolo) ci danno la più significativa immagine di un complesso "nazionale" avente il suo epicentro nel cuore stesso della penisola sono appunto gl'Italici orientali con le loro leghe dei Sanniti, dei Lucani, dei Bruzi collegate e generalmente solidali tra loro: delle quali la più compatta ed importante fu la lega sannitica. Queste formazioni etniche si identificarono con l'Italia già nell'antichità come vedremo, ed è per ciò che noi spesso parliamo di loro come di «Italici» per eccellenza.

Ciò premesso e rilevato, è indiscutibile che Roma, pur combattendo e vincendo i Sanniti, finisce con il riprendere la funzione storica delle compagini italico-orientali ed in certo modo la completa, in quanto attua una espansione territoriale illimitata giungendo fino agli estremi limiti della penisola, si sostituisce ai Lucani nella resistenza all'invasore esterno (Pirro), crea un unico blocco politico peninsulare equivalente all'Italia, ne estenderà più tardi i confini e il nome fino alle Alpi. Senza trascurare il fatto che fra il III e il II secolo l'elemento di lingua osco-umbra costituì una parte rilevantissima del popolamento della federazione romano-italica e dei contingenti ausiliari degli eserciti romani (contribuendo largamente, se non addirittura in modo determinante, alle conquiste mediterranee).

Costituitosi il complesso italiano, inevitabilmente sorgeva subito ai suoi margini il problema dei rapporti con Cartagine. Di fatto Cartagine era stata sempre, fin dall'età arcaica come sappiamo, un fattore collaterale di notevole importanza per la storia del mondo italico. Il dominio territoriale in Sicilia (oltreché, più incontrastato, in Sardegna), le alleanze con l'Etruria (che possono in qualche caso e in qualche momento aver sfiorato una influenza al limite del protettorato), qualche ingerenza militare nelle lotte dell'Italia meridionale ci inducono ad affermare che non si tratta di un elemento del tutto "esterno". Vero è che il trattato del 306 tra Roma e Cartagine, confermato dagli accordi del 279, precludeva ai Cartaginesi la penisola. Ma è altrettanto vero che la presenza della potentissima flotta punica nel Mar Tirreno e perfino nel Mar Ionio (si trovava fra l'altro di fronte a Taranto nel momento della resa di questa città ai Romani) poteva costituire un condizionamento per le vicende italiche, soprattutto quando la fine del regno di Agatocle e il fallimento dell'impresa di Pirro posero la grecità di Sicilia in una crisi gravissima, forse definitiva ove non fosse sopravvenuto l'intervento romano.

È appunto a questo intervento, cioè allo scoppio della prima guerra punica (264), che va attribuito uno speciale significato se visto in rapporto con i precedenti fatti di Sicilia. Si sottolinea intanto che causa immediata dello sbarco dei Romani nell'isola è il loro intento di portare aiuto ai Mamertini contro i Cartaginesi che avevano insediato un loro presidio militare a Messina. Anche se questa decisione nasce dalla necessità, di più vasta dimensione strategica e politica, di salvaguardare la libertà di navigazione dello stretto, che è quanto dire il sicuro controllo e possesso continuo delle coste della penisola, non si può non avvertire uno spunto di solidarietà "continentale" per questo lembo d'Italia trapiantato oltre il mare e per questi Italici discendenti dei nemici di ieri, divenuti ora protetti. Ma anche i Greci di Sicilia, dopo quelli della Magna Grecia, avevano cominciato ad attrarre l'attenzione di Roma, che già nel 270 aveva stabilito rapporti di amicizia con Hieron di Siracusa: ciò che poteva essere considerato, e fu di fatto considerato, dai Cartaginesi come una violazione del fondamentale accordo di partizione delle sfere d'influenza. Italici e Greci sono dunque implicati nell'insorgere del conflitto.

Ma affrontiamo ora il problema in una prospettiva più generale. Non è sfuggita agli storici moderni l'osservazione che le guerre puniche possono essere considerate per certi aspetti un proseguimento e un epilogo della lotta plurisecolare tra Greci d'Occidente e Cartaginesi. In questo senso ci sentiremmo autorizzati a proporre un altro motivo di continuità fra mondo preromano e politica romana. Effettivamente la Sicilia e i mari di Sicilia rappresentano lo stesso teatro di guerra per i Dinomenidi, per Dionisio, per Timoleonte, per Agatocle, per Pirro, come per Duilio, Cecilio Metello o Lutazio Catulo; mentre l'impresa d'Africa doveva riserbare la stessa sorte sfortunata alle forze di Agatocle come a quelle di Attilio Regolo, risolvendosi invece felicemente, e decisivamente, per gli Scipioni a conclusione della seconda e della terza guerra punica. La conquista della Sicilia chiudeva definitivamente l'antica partita tra mondo greco e mondo punico, che non era mai stata decisa per l'equilibrio delle due forze contrastanti e non sarebbe stata decisa senza l'intervento romano. Ma la sconfitta e la distruzione di Cartagine appartengono ormai ad un orizzonte storico diverso che trascende la misura delle esperienze dell'area italica aprendo il destino mediterraneo e universalistico di Roma, e perciò esulano dalla materia della presente trattazione.

L'Italia federata: il mondo italico fra il III e il I secolo a.C.

La continuità della storia dei popoli dell'Italia preromana nell'età dell'imporsi dell'egemonia di Roma si manifesta essenzialmente nel perdurare delle loro caratteristiche etnico-linguistiche, socio-politiche, culturali, e ciò non soltanto come fenomeno di inerti e declinanti tradizioni, ma a volte perfino con una certa potenzialità di sviluppi. È una

Fig. 11. - L'Italia nel III-II secolo a.C.

prospettiva che di regola sfugge, o non si presenta con sufficiente interesse, alla storiografia moderna dominata dalla suggestione del protagonismo militare e politico di Roma. Eppure per misurare il valore di questa constatazione basterebbe accorgersi che proprio tutte le maggiori testimonianze scritte superstiti della civiltà religiosa e giuridica del mondo italico (in Etruria il rituale manoscritto della Mummia di Zagabria e il cippo di Perugia, in Umbria le Tavole di Gubbio, nei paesi di lingua osca la Tavola di Agnone, il Cippo Abellano e la Tavola Bantina) sono posteriori al IV secolo.

Il quadro politico della penisola è caratterizzato da quella che suol definirsi federazione romano-italica: aggregazione più che sistema; mosaico di situazioni e di rapporti ma in pari tempo strumento di potere unitario; complesso duttile, dinamico, provvisorio, perfettibile, con i suoi difetti ma con la forza della sua aderenza alla realtà. Riassumendo ordinatamente quanto è stato accennato in precedenza, ricorderemo che il territorio dell'Italia peninsulare si troverà ad essere suddiviso secondo tre tipi di legami con Roma, e cioè annessioni, colonizzazioni, alleanze, con tutte le loro sfumature e con notevoli passaggi (dall'uno all'altro trattamento) nel tempo. Le annessioni sono pure e semplici aggregazioni al territorio di Roma *(ager Romanus)* con concessione della cittadinanza romana, procedenti secondo una logica di continuità geografica che investe il Lazio e le zone dell'Etruria e della Sabina più vicine a Roma, prolungandosi poi verso la Campania, lungo la costa tirrenica dell'Etruria e all'interno attraverso la Sabina fino al litorale medio-adriatico; nell'àmbito di queste incorporazioni esistono forme graduali o speciali come la *civitas sine suffragio* escludente i diritti elettorali della popolazione, l'istituto delle «prefetture», la concessione della cittadinanza di diritto latino; l'annessione per conquista può preludere alla deduzione di colonie. Queste ultime sono costituite dal trasferimento di contingenti, essenzialmente e primariamente militari, di cittadini romani (colonie romane) o latini (colonie latine) in territori non romani anche isolati e molto distanziati da Roma, con il risultato di creare baluardi di dominio e di romanizzazione. Resta infine da considerare, fuori da una dipendenza istituzionale da Roma, il rapporto di alleanza (*foedus*) che riguarda la maggior parte del territorio e della popolazione italiana: anche questo, e soprattutto questo, caratterizzato da una grande varietà di aspetti e di clausole, comprensibile per la varietà dei tempi, dei luoghi e delle circostanze delle stipulazioni, talvolta con un certo formale rispetto di parità (*foedus aequum* o *aequissimum* come con Camerino in Umbria o con alcune città greche del Mezzogiorno), ma nella pluralità dei casi con più o meno dure imposizioni specialmente di aiuti militari (*foedus iniquum*). Restano in ogni caso assicurate sul piano teorico l'indipendenza politica e sul piano pratico l'autonomia amministrativa, giurisdizionale e culturale degli alleati (*socii*): ciò che fu anche definito come *libertas* o *foederis libertas*.

Logica vuole che una continuità di vita degli antichi popoli del mondo italico si manifesti essenzialmente nella sfera delle comunità alleate e nei territori meno sconvolti dalle annessioni o alterati dalle colonizzazioni. Riprendendo il già detto preciseremo che ciò riguarda molta parte dell'Etruria e dell'Umbria, alcune piccole "isole" storiche nel Lazio come Tivoli, Preneste, Ardea, le genti sabelliche dell'Appennino Centrale come i Marsi, i Peligni, i Marrucini, parte della Campania, gran parte del Sannio, della Lucania, del Bruzio, della Puglia e della sfera delle antiche colonie greche (si aggiungano, fuori dell'Italia peninsulare, qualche zona della Sicilia prima della strutturazione di tutta l'isola in provincia e a nord le comunità venete nel II secolo; ma dell'Italia settentrionale – non ancora formalmente "Italia" – si parlerà specificamente più avanti). Ben si vede trattarsi delle maggiori stirpi ed aree culturali della storia italica. Ciò significa che la vecchia Italia con i suoi protagonisti si è consegnata sostanzialmente integra alla sua nuova e ultima esperienza.

Qualche notazione più particolare s'impone tuttavia a chiarimento e dimensionamento di questa constatazione. Va detto anzitutto che la misura del retaggio italico può essere legata a diversità geografiche e cronologiche. Gli alleati di civiltà più antica, progredita e caratterizzata o entrati più pacificamente nell'orbita romana o comunque rimasti più isolati dai teatri delle guerre di assoggettamento e dall'azione dirompente e innovatrice delle colonizzazioni conservano la loro identità etnica e storico-culturale con maggiore evidenza. È il caso degli Etruschi, degli Umbri, di parte degl'Italici orientali e degli abitatori della Puglia (nonché dei Veneti); in Campania le tradizioni locali restano fortissime anche quando l'alleanza è sostituita dall'annessione con statuto speciale come a Capua; diversamente nell'estremo Sud le città greche subiranno, specialmente dopo la seconda guerra punica, una progressiva ed inarrestabile decadenza che le porterà a scomparire dalla scena della storia. Le vecchie peculiarità nazionali tendono d'altra parte ad attenuarsi nel tempo dovunque: il II secolo rappresenta, pur sotto le forme sostanzialmente inalterate dei rapporti istituzionali con gli alleati, un periodo di sempre più dilagante romanizzazione soprattutto in rapporto con l'intensificarsi dell'innervatura della rete stradale, con l'affiancamento di Romani e alleati negli eserciti, con la comune crisi socio-economica di cui si dirà più avanti.

Quanto alle relazioni reciproche tra i popoli italici si osserva che esse non diventano più strette dopo la sottomissione al potere di Roma. Questa comporta come si è visto una generale pacificazione che è quanto dire un superamento delle vecchie contese territoriali e di predominio che avevano insanguinato il IV secolo. Ma la federazione romano-italica non è un'associazione degl'Italici tra loro, bensì comporta solo legami bilaterali con Roma. Non sembrano tuttavia mancare indizi di contatti e di scambi, specialmente per quel che riguarda la circolazione di idee religiose e di culti, oltre che di correnti artistiche (se ne parlerà subito); anche se non è sempre chiaro quanto di queste manifestazioni spetti a spontanee convergenze dei diversi ambienti culturali o alla mediazione e all'impulso di Roma: forse all'uno e all'altro motivo insieme, se si considera che Roma e il Lazio sono al centro di un'area geografica di antica civiltà e di sviluppi comuni che va dall'Etruria al Mezzogiorno italico e greco. Si aggiunga che sotto l'apparente isolamento e immobilismo delle diverse genti componenti a vario titolo la federazione romano-italica (isolamento e immobilismo a cui le costringeva lo stesso ordine imposto da Roma) non mancano indizi di più o meno ingenti spostamenti di popolazione, come quelli di Sanniti verso il Lazio (a Fregellae) e in Puglia (a Lucera e a Venosa), nei quali potrebbe anche sospettarsi una continuazione o una ripresa dei grandi movimenti etnici degl'Italici orientali dei secoli precedenti, ma in un àmbito più limitato e con carattere per così dire "privato"; la sannitizzazione di Fregelle fu probabilmente una delle cause della rivolta e della distruzione di questa colonia latina nel 125 a.C. (ultima defezione antiromana prima della guerra sociale). Di trasferimenti imposti dai Romani si ha notizia, per tempi vicini alle guerre di assoggettamento, a proposito dei Piceni vinti e deportati dall'Adriatico ad una zona tirrenica al confine tra Campania e Lucania *(ager Picentinus)* nel 268, oltreché, ma con portata puramente locale, delle città alleate di Volsinii e Falerii rispettivamente dislocate la prima dal sito di Orvieto a quello di Bolsena (264), la seconda da Civita Castellana a Santa Maria di Fàlleri (241). Attività di Italici fuori d'Italia, dovute ad iniziative imprenditoriali autonome, anche se favorite e protette da Roma, sono attestate per quel che riguarda i commerci marittimi nel Mediterraneo orientale, con una delle basi principali nel porto franco dell'isola egea di Delo; conosciamo il nome di uno dei più importanti tra questi *negotiatores* nel secondo quarto del II secolo,

Trebius Loesius; terra di provenienza dovette essere soprattutto la Campania. Emigrazioni di Italici, specialmente di lingua osca, sono state riconosciute o ipotizzate sulla base di indizi onomastici, oltre che nell'Italia settentrionale, nella Gallia mediterranea e nella penisola iberica.

Consideriamo ora i singoli aspetti più rilevanti della civiltà e della società del mondo italico in questa sua fase di persistente vitalità. La presenza e la coscienza di una tradizione nazionale sono testimoniate, per ciascun popolo, dall'uso della lingua nei documenti scritti, essenzialmente epigrafici – anzi totalmente epigrafici se si eccettua il libro etrusco su tela della Mummia di Zagabria –, i quali si presentano ora con un'abbondanza ed una importanza (se ne è già fatto cenno) assai superiori a quelle dei testi superstiti delle età precedenti: per la lingua osca e per la lingua umbra si può anzi parlare di una documentazione concentrata pressoché totalmente nei secoli dell'egemonia romana. Il latino s'insinua e si diffonde (i Cumani chiederanno nel 180 a Roma di permetterne l'impiego pubblico: Livio, XL 42), ma non soppianterà gl'idiomi tradizionali se non dopo la concessione generalizzata della cittadinanza romana al principio del I secolo a.C., che segna dunque una fondamentale cesura.

Le testimonianze scritte sono anche, per quanto ce ne resta e sia pure molto frammentariamente, uno specchio delle strutture sociali, delle istituzioni, dei culti, alla cui conoscenza concorrono altrimenti, con diverse prospettive, i dati desumibili dai resti archeologici in generale e le notizie delle fonti storiografiche: queste ultime senza dubbio più ricche che per le età precedenti perché più vicine ai fatti. L'organizzazione urbana resta ancora propria e caratteristica soprattutto della parte tirrenica e greca dell'Italia, ma, a parte l'irradiarsi delle colonie che "riproducono" il modello della città di Roma o delle città latine, pure i centri e le aggregazioni dei territori autonomi centro-appenninici, adriatici e nordici vengono assumendo, con vigoroso processo mimetico, un'impronta o un'apparenza, anche istituzionale, di città: segnatamente in Puglia e in Umbria (dove Gubbio, l'antica Iguvium, rappresenta un esempio tipico bene illuminato dai famosi testi rituali delle Tavole); altri avvii all'urbanizzazione restano embrionali, e in zone montuose come il Sannio e l'Italia nord-orientale perdurano addirittura le forme preistoriche delle roccheforti in sommità di alture dette «castellieri» *(oppida)*. Alle città-stati etrusche o campane corrispondono in ambiente italico-orientale entità statali territoriali costituite per affinità di gruppi (Caraceni, Pentri, Caudini, Irpini nel Sannio), ma forse impropriamente dette tribali: in osco *touto*, che più o meno corrisponde al latino *populus*. Le leghe di stati, tanto caratteristiche del periodo antecedente fra il V secolo e il principio del III dall'Etruria e dal Lazio alla Campania, al Sannio, ai Lucani, ai Bruzi e alle città greche, sono dissolte dal *divide et impera* dei Romani; una grande alleanza di tipo federale risorgerà soltanto brevemente tra gl'Italici orientali insorti nella guerra sociale.

Nel governo dei singoli stati, cittadini o territoriali, si sono decisivamente affermate, dovunque e senza eccezioni, le forme repubblicane con magistrati eletti e consigli e assemblee di vario tipo, anche simili al senato e ai comizi di Roma. La grandissima maggioranza delle testimonianze epigrafiche e letterarie sui titoli e sulle funzioni dei magistrati appartiene ai tempi di cui parliamo, ma si tratta certamente di istituzioni nate prima dell'assoggettamento a Roma (in Etruria è provato da iscrizioni del IV e perfino del V secolo). Sembra potersi individuare una certa uniformità tipologica nell'esistenza, in diversi ambienti e in forma linguistica diversa, di un titolo indicante genericamente l'esercizio del potere, e perciò specificato da particolari attributi a seconda delle funzioni, ma usato anche, forse antonomasticamente, per designare il potere supremo: in Etruria il termine è *zilc(h)* o *zilath*, in Campania e nel Sannio *meddix* (nella forma originale osca *meddíss*), come a Roma *praetor* (che all'inizio denota i consoli) e probabilmente in Umbria *maro(n)* (la stessa parola in etrusco *maru*, *marunu-* indica un'altra delle numerose cariche politico-amministrative e religiose ricordate nelle epigrafi). La dignità più alta era generalmente unica, come una presidenza dello stato (in ambiente osco precisamente *meddix tuticus* o *meddíss tovtíks*); quando occorre una coppia con parità di poteri, si tratta probabilmente, ma non necessariamente, di un'influenza del consolato romano.

Il quadro delle società si riflette nelle iscrizioni funerarie e dedicatorie (le prime numerosissime in Etruria, scarse altrove). L'uso del doppio nome, prenome individuale e nome gentilizio, è un fenomeno tipico ed esclusivo del mondo italico ad eccezione dei Veneti e dei Messapi, e sembra contrassegnare i liberi godenti diritti civici o capacità equivalenti. I servi, con qualificazioni e livelli difficilmente definibili, sono fuori del sistema gentilizio; in Etruria sembra che essi abbiano più volte tentato di acquistare libertà e potere: famoso soprattutto il caso della rivoluzione di Volsinii nel 265; ma nelle città settentrionali, specialmente Chiusi e Perugia, vi sarebbe stata nel II secolo una relativamente pacifica immissione di elementi servili nella cittadinanza, a giudicare dai numerosi nomi individuali adottati in funzione di gentilizi. Entro l'ambito del sistema gentilizio predominano poche famiglie più ricche e potenti, non soltanto nelle città etrusche dove le antiche oligarchie si accentuano e si irrigidiscono (così ad esempio ad Arezzo i Cilnii, a Volterra i Caecina, a Tarquinia – documentati dalle iscrizioni come titolari di cariche pubbliche – i Velcha, gli Hulchnie poi altrimenti noti come Fulginii, i Ceisinie o Caesennii, i Plecu, i Partunu, i Pinie, ecc.), ma anche nelle comunità campane e sannitiche (Egnatii, Gellii, Pontii, Papii, Magii). La classe senatoria dominante a Roma appoggia le aristocrazie locali come fattori di stabilità. Si potrebbe addirittura anzi affermare che nel sistema di queste aristocrazie locali sia da riconoscere in un certo senso la causa principale del perdurare delle tradizioni e della vita stessa delle antiche nazioni del mondo italico.

Per quanto riguarda gli aspetti visibilmente più caratteristici della civiltà come la religione, le arti figurative, l'architettura e l'urbanistica, la tecnica, s'impongono due fondamentali annotazioni: 1) l'influenza dell'ellenismo si afferma prepotentemente come impulso innovatore, senza tuttavia cancellare le peculiarità italiche, che anzi per certi aspetti tendono a manifestarsi con inedite accentuazioni; 2) esiste una vasta area dove questi fenomeni culturali appaiono più compatti, più tipici e con sviluppi comuni, e che coincide approssimativamente con l'estendersi dell'urbanizzazione dal versante tirrenico verso l'interno e il versante adriatico della penisola. Credenze e culti esotici s'impiantano e prosperano localmente, come è il caso famoso dei Baccanali cioè dei misteri del dio Diòniso o Bacco con le relative consorterie e feste orgiastiche, che si moltiplicano dall'Italia meridionale all'Etruria, alimentando in parte disordini e violenze, fino ai durissimi provvedimenti repressivi del senato romano nel 186 a.C., imposti anche alle comunità alleate. Un fenomeno tipico è l'intensificarsi e il propagarsi delle pratiche divinatorie: accanto all'aruspicina o lettura delle viscere degli animali e all'interpretazione dei fulmini e dei prodigi che sono proprie dell'Etruria, l'auspicio o lettura del volo degli uccelli che appare, oltre che a Roma, presso gl'Italici di lingua osco-umbra. Tratti speciali divergenti dai modelli ellenistici e in parte legati a tradizioni locali si avvertono nell'architettura templare e domestica (la casa ad atrio conosciuta specialmente da Pompei per la cosiddetta fase sannitica) e nella produzione artistica e artigianale (forme non naturalistiche ma geometrizzanti, tendenze alla violenta accentuazione espressiva), per cui si può parlare ora di una cultura artistica « italica » (o, come altri ha preferito, medio-italica).

Le maggiori innovazioni destabilizzatrici del quadro della vecchia Italia, collegate inevitabilmente ai progressi di

Roma, si determinano, soprattutto nel II secolo, in campo economico e conseguentemente sociale. Già prima l'estendersi della supremazia romana aveva comportato riflessi di attivazione e di coordinazione della produzione (si pensi a quella, intensissima e variamente diffusa, della ceramica a vernice nera detta campana) e degli scambi; ed un segno di efficienza pratica era stato l'avvio ad una regolamentazione dei sistemi monetari già esistenti in Italia (antichi, variatissimi e ricchi di conii d'arte nelle città greche del Mezzogiorno, stentati in Etruria, praticamente assenti altrove), attraverso l'imposizione del marchio romano ai prodotti delle zecche campane e tarantine e in pari tempo la messa in funzione della zecca di Roma con l'adozione dello standard ponderale dell'asse librale (327 grammi) e successivamente unciale (un dodicesimo del primo); accanto alle monete coniate appaiono diffuse nel II secolo le monete fuse *(aes grave)* che si presentano con molteplici imitazioni nelle comunità alleate dell'Etruria e dell'area italica centro-meridionale. La crisi economico-sociale dell'area italiana è caratterizzata, a seguito delle grandi guerre di conquista di Roma in Africa e in Oriente, dalle grosse capitalizzazioni della ricchezza, dall'affluenza massiccia degli schiavi, dalla creazione dei latifondi, dall'abbandono dei campi da parte dei coltivatori liberi, dalla loro convergenza nelle città e specialmente a Roma. Anche se questo stato di cose dovette comportare riflessi negativi sulle classi più deboli degli stati alleati, non c'è dubbio che, come a Roma, non danneggiava le aristocrazie dominanti e poteva favorire i ceti imprenditoriali equivalenti agli *equites* romani (ma certo assai meno privilegiati per quel che riguarda i profitti delle conquiste extraitaliane). Si può spiegare così lo scarso entusiasmo se non addirittura il malcontento degli alleati per i tentativi dei Gracchi di rimediare alla crisi con le leggi agrarie di confisca e riassegnazione delle terre. Vedremo tuttavia subito come da questa crisi e dai suoi risvolti politici si metterà in movimento il processo culminante nella fine delle autonomie italiche.

Una parte delle considerazioni fin qui svolte, riferibili soprattutto ai popoli della penisola, potrebbe applicarsi anche ai territori settentrionali entro l'arco alpino che, come già si è detto, non erano ancora considerati Italia. Ma conviene ora farne un breve cenno più particolare. Si distinguono tre grandi entità etnico-territoriali: ad occidente i Liguri, in parte commisti con i Galli, più puri e tenacemente agguerriti nelle zone montuose degli Appennini Ligure e Tosco-Emiliano; ad oriente, nel loro "angolo", i Veneti; al centro e con amplissima e fluida estensione le diverse stirpi galliche. Si è già detto delle guerre di Roma e delle alterne vicende della conquista romana della Gallia Cisalpina, che a partire dai primi decenni del II secolo resta soggetta a Roma, anch'essa nella triplice forma di rapporti di annessione, di colonizzazione, di alleanza (quest'ultima concessa ai Cenomani, rimasti pressoché sempre fedeli ai Romani); dei Veneti sappiamo che erano amici e alleati; Veneti e Galli conservano la loro identità etnica e parte della loro cultura, ma forse più tenuamente di alcune delle maggiori popolazioni storiche di alta civiltà urbana dell'Italia peninsulare, mentre la romanizzazione è favorita già nei primi decenni del II secolo dalle molte e importanti colonie latine e romane (a Cremona, Piacenza, Modena si aggiungono ora Bologna e Parma e nel Veneto Aquileia). Diversa è la sorte dei Liguri, la cui sottomissione avverrà con azioni di guerra, e alla fine quasi di polizia, per tutta la durata del II secolo, e ai quali mancò un definito sviluppo locale prima della romanizzazione (iniziata al loro margine meridionale con la fondazione della colonia romana di Luni nel 177 a.C.).

L'ultima affermazione di una coscienza italica di fronte a Roma: la guerra sociale.

Con i caratteri peculiari delle singole nazionalità storiche dell'Italia preromana si conservano, sotto la supremazia di Roma, anche le reciproche differenze, che sono profonde, in rapporto agli ambienti e alle vicende dei secoli precedenti, e non mancano di avere riflessi sulle relazioni con Roma. Così, per concentrare la nostra attenzione sui due maggiori gruppi della penisola, da un lato gli Etruschi, da un altro lato le popolazioni di lingua osca, è evidente che queste ultime rappresentano forze più giovani, tradizionalmente più bellicose, meno legate alla stabilità delle antiche civiltà urbane, meno vicine geograficamente e culturalmente a quel Lazio che aveva espresso Roma, e nei riguardi di Roma forse ancora non del tutto dimentiche delle aspre guerre della fine del IV e del principio del III secolo e della parziale ribellione della guerra annibalica.

Ciò premesso vediamo come poté originarsi, come si svolse, quale portata storica ebbe quel singolare evento – o se si preferisce episodio, ma con conseguenze non episodiche – che venne di colpo, al principio del I secolo a.C., a interrompere e a contraddire l'apparente processo di avvicinamento tra Roma e le comunità italiche: vogliamo dire la guerra sociale o « guerra italica » (Cicerone).

In verità l'avvicinamento era stato soltanto parziale e in gran parte attinente alla sfera culturale più che a quella politica ed economica. Si può dire anzi che la disparità fra Romani (cioè cittadini romani) e Italici (cioè abitatori dell'Italia privi della cittadinanza romana) sia andata crescendo nel corso del II secolo e fino alle soglie del I (mentre i Latini e i cittadini di diritto latino si trovano in una sorta di posizione intermedia). Certo è che tutte le leve e i vantaggi del potere a livello di grandi decisioni militari, diplomatiche, economico-finanziarie sono nelle mani dei cittadini romani, restandone esclusi gli alleati italici; che gl'Italici, anche se presenti nei commerci e in altre imprese nelle province via via costituite a seguito delle conquiste di Roma fuori d'Italia, si trovano in netta condizione d'inferiorità rispetto ai Romani dell'operoso ceto equestre; che le leggi di riforma agraria dei Gracchi, puntando a colpire le appropriazioni di territorio pubblico, non risparmiano i possessi degli Italici, i quali per di più non sono ammessi alla ridistribuzione delle terre confiscate; che negli eserciti, dove pari sono l'impegno e il contributo di sangue tra legionari romani e contingenti dei *socii* italici, chi comanda sono i generali romani e il dislivello di trattamento economico e disciplinare è sensibilissimo; che si poté arrivare ad atti di vero e proprio apartheid (limitazioni della presenza a Roma di Latini e di Italici, esclusione dalla cittadinanza romana dei figli di matrimoni misti).

Via via che Roma dilata le sue conquiste sottomettendo vastissimi territori la situazione dell'Italia, partecipe e fattore della potenza romana e in pari tempo esclusa e dominata da questa stessa potenza, si va facendo sempre più paradossale ed anacronistica. Quanto più privilegiata diventa la condizione di cittadino romano di fronte alle masse dei sudditi provinciali, cioè dei paesi vinti ordinati in province, tanto maggiore si sente l'aspirazione degli alleati italiani ad ottenere questo *status*, anche a costo di perdere le loro guarentigie politico-amministrative divenute poco più di un vacuo simulacro d'indipendenza. O, meglio, mentre in certi strati sociali, cioè nelle classi superiori timorose di innovazioni che possano toccare i loro vantaggi economici (specialmente nel campo della proprietà terriera) e minacciare una elevazione dei subordinati, e in certi ambienti più conservatori come in Etruria, il problema dell'acquisto – soprattutto di un acquisto generalizzato – della cittadinanza romana è assai meno sentito, altrove, presso le popolazioni italiche dell'Italia centrale, in Campania, nel Sannio, la richiesta di parità con i «Romani» diventa via via più pressante, anche a livello di dirigenze politiche, proprio mentre la dominante aristocrazia di Roma si oppone nel modo più reciso alle proposte formulate in tal senso dai politici riformatori (Gaio Gracco e M. Livio Druso).

L'insofferenza degl'Italici di lingua osca per le loro condizioni verso la fine del II e al principio del I secolo a.C., provocata dal maggior peso che su di essi grava dalle corvées militari e dalle riforme graccane, viene ad esasperarsi insostenibilmente per la constatata impossibilità di un componimento politico che tragga la popolazione di tanta parte della penisola dal suo ruolo secondario. Si prospettò allora, inevitabile anche se irrazionale, dettato dal risentimento più che da una ponderata visione degli scopi da raggiungere, il ricorso alle armi. Ne offriva un'occasione materiale la parziale smobilitazione e pertanto la disponibilità di truppe italiche senza impiego a causa della momentanea pausa nelle guerre esterne; ma soprattutto ne affrettarono la decisione e ne confortarono con fermezza l'attuazione l'entusiasmo e l'ambizione di alcuni capi militari e politici, come tra i Marsi Quinto Poppedio Silone e Publio Vettio Scatone, tra i Piceni Gaio Vidacilio, tra i Vestini Gaio Pontidio e Tito Lafrenio, tra i Marrucini Herio Asinio, tra i Frentani Mario Egnazio, tra i Sanniti Gaio Papio Mutilo, Numerio Lucilio, Numerio Stazio, Minio o Minato Iegio, tra i Lucani (e loro *meddix*) Marco Lamponio. La scintilla che provocò l'incendio fu l'assassinio a Roma di Druso, il tribuno amico degl'Italici che si diceva fossero legati a lui da un solenne giuramento di fedeltà, per mano di un sicario del partito oligarchico nell'autunno del 91 a.C., con la conseguente risposta dell'uccisione del commissario Q. Servilio e di molti altri cittadini romani ad Ascoli (Ausculum) nel Piceno. Più o meno contemporaneamente insorsero, oltre i Piceni, i Marsi, i Peligni, i Vestini, i Marrucini, i Frentani, tutti i Sanniti inclusi gli Irpini, parte dei Campani, i Lucani, gli Apuli del Nord (la lista più completa è data da Appiano, I, 39 ss.).

Nella guerra sociale non risultano coinvolti né gli Etruschi (di cui si è già sopra annotato il divario dal mondo italico-orientale), né gli Umbri (ormai gravitanti culturalmente e politicamente sulla sfera etrusca), né i Galli e le altre popolazioni del Nord, né presumibilmente gli abitatori della Puglia rimasti fuori della diretta influenza sannitica o lucana, né i superstiti Greci. Si tratta dunque di un fenomeno che, pur nella sua imponente estensione territoriale, appare limitato agl'Italici di lingua osca; ed in pari tempo li include tutti, dall'area centrale della penisola al Mezzogiorno: ciò che indurrebbe a parlare di una certa unità "nazionale", non rivelatasi per l'innanzi con questa portata. D'altra parte però si osserva che le diversità di tradizioni, di dialetti, di vicende storiche tra l'area centrale (Marsi, Piceni, Vestini, Peligni, Marrucini) e l'area meridionale (Sanniti, Campani, Lucani) sussiste anche in questo quadro occasionalmente unitario come vedremo subito. Proprio in relazione con l'immagine complessiva dei nemici di Roma nella guerra sociale nasce nell'uso degli antiquari romani, a partire da Varrone, il termine Sabelli, che si applicherà perciò rettamente a tutti i popoli parlanti osco e non solo a quelli dell'area centrale come è uso frequente degli storici moderni: restando invece il nome Sabini (di cui Sabelli è un diminutivo) applicato esclusivamente agli abitanti della Sabina, anche qui secondo la tradizione antica e in piena rispondenza al fatto che i Sabini, già godenti la cittadinanza romana, non si associarono alla rivolta dei loro vicini (e antichi parenti) centro-italici.

La chiara identificazione e delimitazione etnico-linguistica non esclude tuttavia una interpretazione più vasta del movimento di rivendicazione italica di fronte a Roma. Gl'insorti si appropriano il nome Italia che in realtà aveva avuto una significazione diversa (= Magna Grecia) e ha ormai, al tempo della rivolta, una assai maggiore estensione (l'intera penisola). Con ciò sembra sottintendersi quasi un filo segreto che lega l'azione dei Sabelli al destino di tutti gli eredi di una tradizione storica italiana anteriore all'egemonia di Roma, rappresentandone quasi le esigenze e le aspirazioni. È certo che il concetto di Italia contrapposta a Roma assume il carattere di una bandiera ideologica, per quanto ciò possa intendersi dalla mentalità locale. Contro le tradizioni cantonali e di scarso sviluppo urbano s'improvvisa a Corfinio, nel territorio dei Peligni, una capitale dell'intero schieramento dei paesi ribelli, contrapposta a Roma e ribattezzata *Italia*. Si conia un tipo di moneta con l'immagine del toro italico che schiaccia la lupa romana (e le scritte *Víteliú* = Italia richiamano all'antica etimologia *Itali* da *vituli* «vitelli»); altri presentano una dea in trono (l'Italia?) incoronata dalla Vittoria e, oltre l'intenzione augurale, alludono probabilmente all'iniziale andamento vittorioso della guerra. Monete varie sono del resto battute dai capi e dalle comunità per le necessità correnti, ma anche come segno d'indipendenza.

Diremo dunque che esiste una singolare tardiva e quasi nostalgica presa di coscienza di una italicità recuperata e affermata di fronte a Roma. Ci si può domandare come questa contrapposizione si concili con la ragione prima del conflitto, che è quella della richiesta della cittadinanza romana. Ma evidentemente qui ci troviamo di fronte ad un accavallarsi di motivi politici e d'impulsi passionali, che creano il paradosso di questa guerra, non inspiegabile se si considera che essa nacque da una condizione degli alleati italici che abbiamo già definito paradossale. E tutto l'andamento della guerra ne sarà in qualche modo una conferma.

L'iniziativa e il più aspro impegno spettano agli Italici centrali e in principal modo ai Marsi, donde la denominazione di *bellum Marsicum* che ebbe inizialmente la guerra, poi chiamata italica o sociale. Alla grande ala meridionale degl'insorti spettò poi il compito più durevole. Ma tutto fu, per la nostra prospettiva, estremamente rapido e breve. L'intero fronte sabellico si organizzò subitamente (ciò che potrebbe forse indicare qualche antecedente preparazione) in una stretta confederazione, diversa dalla vecchia lega sannitica e altre consimili, e più vicina a certe leghe del mondo greco, con un unico senato di cinquecento membri, verosimilmente formato da rappresentanti dei diversi gruppi etnici, ed un esecutivo politico-militare presieduto da due supremi magistrati con il titolo di *embratur (imperator)*, per le due grandi partizioni centro-italica e sannitica (furono eletti rispettivamente Poppedio Silone e Papio Mutilo), ciascuno coadiuvato da sei pretori. Roma corse ai ripari con tutte le sue forze legionarie, allora non impegnate altrove, ingrossate da intensi reclutamenti, più ausiliari latini e delle province ed un certo numero di Italici estranei o dissociati dai rivoltosi come le bande irpine di Minato Magio. Ma almeno all'inizio la capacità bellica degl'Italici, coadiuvati dalla compattezza e dalla natura del loro territorio, fu notevolmente superiore a quella del potere romano colto di sorpresa. Ciò spiega i successi dell'anno 90, in una lotta confusa e geograficamente spezzettata, dal versante adriatico alla Marsica sul fronte centrale e dalla Campania alla Puglia sul fronte meridionale, nella quale emergono alcuni fatti importanti come la disfatta e la morte del console P. Rutilio Lupo presso Carsoli, o la conquista di Isernia (Aesernia) e di Nola che divennero munite piazzeforti degl'insorti. Scopo di questi ultimi, specialmente dei responsabili del settore centro-italico, dovette essere quello di aprirsi celermente la strada per un'azione diretta di pressione su Roma: ciò che peraltro fallì, anche per la presenza in campo di uno sperimentato condottiero come Gaio Mario.

In verità non è immaginabile che il piatto della bilancia non dovesse finire col pendere dalla parte di Roma, con la sua ormai secolare organizzazione di potere, con il pieno controllo di più di metà dell'Italia, con il dominio dei mari e di tanta parte del Mediterraneo. Nell'anno 88, nonostante la perdita della vita del console L. Porcio Catone nella zona del Fucino, l'altro console Gn. Pompeo Strabone riuscì a travolgere i Marsi e gli altri popoli del centro, coronando le sue imprese con la conquista di Ascoli culla della rivolta, mentre a sud L. Cornelio Sulla con poteri proconsolari spazzava la Campania (esclusa Nola) e invadeva il Sannio. La capitale degl'Italici era spostata da Corfinio a Boviano e da Boviano ad Isernia. Cadevano in battaglia i due eroi dei Marsi Vettio Scatone e poi Poppedio Silone che aveva assunto il comando unificato di tutte le forze italiche. Particolarmente significante fu la riconquista di Venosa, l'antica colonia latina passata fin dall'inizio ai ribelli. Del tutto privi di consistenza pratica erano stati nel frattempo i tentativi di approccio tra gl'Italici e Mitridate re del Ponto che aveva invaso la provincia d'Asia provocando la guerra con Roma. Come puramente episodica e senza esiti fu una calata dei Lucani nel Bruzio in direzione della Sicilia. Le contese civili a Roma rallentarono nell'87 la pressione sugl'Italici ormai ridotti al solo settore meridionale e fiaccati da ripetute sconfitte, ma ancora in possesso dei baluardi di Nola e di Isernia; cosicché si poté arrivare ad un accordo che garantiva – ed effettivamente concesse – la piena cittadinanza a tutte le comunità ancora in armi contro Roma, con la facoltà di ritenere le prede di guerra e riavere i prigionieri. Così si spegneva per il momento senza grandi traumi, ed anzi a favorevoli condizioni, il conflitto iniziatosi quattro anni prima con tanto furore antiromano.

Il fatto è che già nel primo anno di guerra, nel timore che altri alleati, specialmente Etruschi e Umbri, potessero associarsi ai ribelli, gli antichi progetti di concessione automatica e generalizzata della cittadinanza romana alle popolazioni italiane, tanto duramente avversati, erano giunti giocoforza a maturazione. La *lex Iulia de civitate Latinis et sociis danda*, proposta dal console L. Giulio Cesare e approvata nello stesso anno 90, offriva i diritti civili a tutti i Latini e Italici che ne fossero ancora privi, purché non in armi contro Roma o pronti a deporle immediatamente; la integrarono nell'89 la *lex Calpurnia de civitate sociorum* e la *lex Plautia Papiria*; in pari tempo la *lex Pompeia de Transpadanis* estendeva la cittadinanza di diritto latino a tutta l'Italia settentrionale (ciò che fa presupporre che gli abitatori della Cispadana cioè dell'Emilia ne fossero già stati ammessi al godimento o risultassero in qualche modo equiparati agl'Italici peninsulari). Questa rapida legislazione, mentre più o meno rapidamente applicata veniva a soddisfare gli alleati non belligeranti, Etruschi, Umbri, Galli, ecc., scalzava senza alcun dubbio la compatta risolutezza dei ribelli, ponendosi fra le cause del progressivo declino delle loro fortune; ma non solo non eliminava tutti gli altri motivi, passionali e tendenzialmente "nazionalistici", che avevano acceso gli animi alla guerra, bensì non offriva neanche un'adeguata garanzia di piena equiparazione ai diritti dei cittadini romani. Per tutti i nuovi cittadini dell'area italica centro-meridionale si prevedeva infatti l'iscrizione concentrata in poche tribù, riducendone così la capacità e l'efficacia del voto nei comizi (segno della persistente resistenza senatoriale all'accoglienza delle aspirazioni italiche). Un tentativo di sopprimere la discriminazione fu fatto dal tribuno Q. Sulpicio Rufo che vi perdette la vita per la violenta reazione di Sulla (si ripeteva così il destino di Gaio Gracco e di Livio Druso); ma l'iniziativa fu ripresa e finì col prevalere nell'87, in assenza di Sulla impegnato nella guerra del Ponto, ad opera del partito democratico di Mario, e fruttò la riconciliazione con gl'Italici.

A questo punto i problemi della guerra sociale vengono a fondersi in quelli della guerra civile. Il ritorno di Sulla dall'Oriente nell'83, seppure accompagnato da una generica assicurazione di garanzia dei diritti acquisiti dai popoli italici, segnò di fatto l'inizio di un'acerrima offensiva contro i nuovi cittadini (o in via di divenire tali) logicamente legati nella loro grande maggioranza alla parte politica che li aveva favoriti, e cioè ai Mariani. Gli Etruschi, che tornano ora alla ribalta, per la loro amicizia con Mario e poi con i suoi seguaci partecipano alla lotta di questi ultimi contro Sulla e i suoi generali culminata con una grossa sconfitta a Chiusi; Volterra dopo un lungo assedio sarà presa d'assalto e subirà durissime condizioni, e così pure Populonia; colonie militari sullane saranno imposte, oltre che a Volterra, a Chiusi, ad Arezzo e a Fiesole. Dall'altra parte contingenti sannitici sotto il comando di Ponzio Telesino e di un suo fratello si uniscono alle forze della resistenza antisullana, insieme con le quali sono sanguinosissimamente e decisivamente sconfitti a Sacriporto (Colleferro), alle porte di Roma (battaglia della Porta Collina) e infine nell'ultima roccaforte di Palestrina (82). L'odio antisannitico di Sulla continuerà a manifestarsi in dure spedizioni punitive nelle montagne del Sannio.

Così la storia dei popoli dell'Italia preromana verrà progressivamente spegnendosi nei primi decenni del I secolo a.C. in una fosca luce di eventi luttuosi che segnano la condanna dei residui particolarismi nazionali, ma aprono la prospettiva di una convergenza e di un fecondo apporto delle diverse stirpi e tradizioni nell'unità dell'Italia romana, conciliando le antitesi nella sintesi. La data del 90 a.C. è in un certo senso soltanto simbolica. Di fatto, prescindendo dalla lentezza del processo di romanizzazione giuridica (che poté includere anche qualche momentaneo regresso come nel caso dei Volterrani e degli Aretini privati da Sulla della cittadinanza romana), alle repressioni sullane si aggiunsero altri eventi destabilizzanti e rovinosi, come il vandalico passaggio di Spartaco con la sua orda di schiavi ribelli attraverso l'Italia meridionale (72-71), la sconfitta dei seguaci etruschi di Catilina a Pistoia (62), specialmente la conquista, il saccheggio e l'incendio di Perugia da parte di Ottaviano con un massacro dei maggiorenti locali (« guerra perugina » del 41-40, ricordata come la distruzione della nazione etrusca: Properzio, *Elegia* II, 1,29): eventi che concorsero, insieme con le requisizioni e colonizzazioni di Cesare e di Augusto, a stemperare e dissolvere il nerbo delle residue tradizioni sociali, culturali, linguistiche delle comunità del mondo italico peninsulare. Diversamente l'Italia settentrionale, già largamente e rapidamente influenzata dai modelli romani – forse ancor più rapidamente per la mancanza di propri elevati modelli di civiltà –, tarderà a ricevere la consacrazione di un diritto di cittadinanza romana estensivo e generalizzato fino all'età cesariana (*lex Roscia de civitate Transpadanorum* del 49 e probabilmente anche altri provvedimenti, fino ai Triumviri che nel 42 abolirono la provincia della Gallia Cisalpina). Con Augusto vediamo dunque finalmente un'Italia unificata e totalmente parificata dallo stretto di Messina alle Alpi.

Epilogo: sopravvivenze e reviviscenze.

Ciò che segna la fine di un ciclo storico, e il termine del nostro viaggio nel tempo, è il trapasso dalla pluralità all'unità giuridico-istituzionale, linguistica, culturale dell'Italia antica: concetto che per altro esprime solo riassuntivamente o semplicisticamente una realtà complessa, come approssimativa è la notazione cronologica che colloca questo mutamento al principio del I secolo a.C. Occorre in ogni modo sottolineare che la trasformazione è radicale per ciò che riguarda la scomparsa totale ed irreversibile di compagini nazionali, di tradizioni linguistiche, di concezioni religiose, di entità politiche durate per secoli con più o meno appariscente continuità, sostituite dalle nuove strutture dettate da Roma. Se o fino a che punto ciò dipenda da un'azione sopraffattrice e distruttrice della potenza dominante, o da una volontà delle genti sottomesse, o da una ineluttabile conseguenza dei tempi e delle circostanze è materia di antiche controversie, non immuni da ingenuità, che esula dai propositi di un'obiettiva trattazione storica.

Ma l'esaurirsi della vitalità autonoma delle popolazioni

dell'Italia preromana non significa assolutamente una loro estinzione. Gli abitanti dell'Italia romana restano pur sempre i discendenti degli abitanti dell'Italia preromana (a parte il collaterale incremento cospicuo degl'immigrati dall'Oriente mediterraneo o da altre plaghe dell'impero); né a questa constatazione sfuggono gli stessi Romani e Latini. La materia demografica è la stessa, anche se sono mutate le forme di vita e di civiltà. Le famiglie continuano di padre in figlio: lo denuncia in modo evidente l'onomastica personale con i nomi gentilizi la cui origine da stirpi diverse (etruschi, oschi, veneti, galli, ecc.) è ben riconoscibile pur nella forma latinizzata. L'imposizione generale del latino e la scomparsa delle altre lingue costituiscono il fatto più vistoso del passaggio dalla vecchia alla nuova temperie storica; ma non dobbiamo dimenticare che il latino non è un fattore estraneo, bensì fa parte anch'esso del patrimonio linguistico dell'antico mondo italico.

La civiltà romana della tarda repubblica e del principio dell'impero è in realtà costruita in molta parte dal convergente apporto di elementi provenienti da diverse parti d'Italia, ovviamente conformati all'impronta unitaria del sistema socio-politico romano, delle concezioni e delle mode ellenistico-romane, della latinità linguistica. Lo si riscontra con particolare spicco, tra l'altro, nella letteratura, che ci presenta fin dal III secolo a.C. poeti e scrittori latini tra i più famosi non romani di nascita, ma di estrazione italica quanto mai varia: Livio Andronico tarantino, Nevio campano, Plauto umbro di Sarsina, Ennio («dai tre cuori»: greco, osco, latino) di Rudiae nel Salento, Catone il Censore di Tuscolo, Varrone sabino di Rieti, Cicerone di Arpino, Catullo di Verona, Sallustio di Amiterno, Virgilio di Mantova, Orazio apulo di Venosa, Properzio umbro di Assisi, Ovidio peligno di Sulmona, Tito Livio veneto di Padova, Velleio Patercolo campano discendente dalla famiglia dei Magii, Stazio anch'egli campano di Napoli, Persio etrusco, Plinio di Como. Meno precoci e importanti, come è comprensibile, sono i casi analoghi per quel che riguarda personaggi della vita politica e della società romana. Al senato, al consolato e ad altre alte magistrature hanno avuto accesso membri di diverse famiglie etrusche, già nel II secolo a.C. i Perperna, i Numisii, gli Aburii (a seguito di singole antiche concessioni di cittadinanza romana), poi tra gli altri i Caesennii, i Tarquitii, i Volcacii, inoltre i Caecina, gli Aconii, i Rufii di Volsinii che perdurano fino al tardo impero; di Volsinii fu anche L. Elio Seiano il famigerato ministro di Tiberio; alla dignità imperiale pervennero M. Salvio Othone di famiglia oriunda da Ferento e più tardi, nel III secolo, il perugino C. Vibio Treboniano Gallo. Può essere superfluo ricordare l'influenza che ebbe nella Roma di Augusto il consigliere di quest'ultimo e raffinato intellettuale Mecenate che vantava origine dai Cilnii di Arezzo. All'età cesariana ed augustea appartiene d'altra parte l'uomo politico e letterato C. Asinio Pollione nipote del condottiero marrucino della guerra sociale Asinio Herio. Altri personaggi provenienti da ambienti italici di lingua osca s'incontrano con un certo rilievo tra la fine della repubblica e il principio dell'impero, talvolta con nomi di famiglie illustri come i Poppaedii, i Magii, i Pontii, incluso forse lo stesso Pilato prefetto di Giudea. Con i Flavi assurge al principato una famiglia sabina di Rieti.

Ma tutte queste pur interessanti constatazioni non sono che il riflesso emergente della naturale e generale continuazione della popolazione italica nell'amalgama dell'Italia romana. Può essere interessante notare che il fattore italico predomina nei primi tempi dell'unificazione; mentre già a partire dal I secolo d.C. e poi sempre più nei tempi avanzati dell'impero si affermeranno nella politica e nella letteratura anche e soprattutto elementi provenienti dalle province. In questo senso, tenendo conto altresì dei fatti economici, religiosi, della composizione degli eserciti legionari, ecc., si può affermare che esista una fase iniziale di romanità prevalentemente italica, seguita da una fase di romanità universale (formalmente sancita dalla concessione della cittadinanza romana a tutti i sudditi dell'impero da parte di Caracalla nel 212 d.C.).

L'eredità lasciata dalla storia dei popoli italici alla vita e alla civiltà del mondo romano non riguarda soltanto gli uomini, ma comprende anche i loro insediamenti e raggruppamenti. La pressoché assoluta totalità delle città romane ha un'origine preromana (fanno eccezione alcune fondazioni coloniali come Alba Fucens, Aquileia, Augusta Taurinorum cioè Torino, Augusta Praetoria cioè Aosta, ecc., centri con nomi augurali come Placentia cioè Piacenza, Florentia cioè Firenze, per altro non privi di tracce di vita più antica, e i *fora* o mercati come Forum Iulium donde il Friuli, Forum Livii cioè Forlì, ecc.). I nomi greci, latini, etruschi, umbri, oschi, apuli, veneti, celtici – e in gran parte di più remota origine preindoeuropea – perdurano tutti nella forma latina: moltissimi perdureranno, nella forma italiana, fino ad oggi. La vita continuò dovunque attraverso i secoli, seppure nel mutare delle forme e nel lento alterarsi dei paesaggi urbani (ma le mura etrusche di Perugia furono baluardi fino ai tempi del Rinascimento e il centro di Napoli è segnato ancora dalla pianta della città greca). Anche prescindendo dalla marcata evidenza del persistere in età romana imperiale di taluni gruppi etnici cantonali soprattutto nell'Italia del nord con particolare riguardo alle aree alpine, è presumibile che più o meno dovunque certi aspetti di tradizioni locali o regionali ricollegabili alle antiche nazionalità abbiano resistito all'impatto con il massiccio processo di romanizzazione del I secolo a.C. e si siano comunque trasmessi in qualche modo a tempi successivi. È il caso di culti radicati a particolari siti che assumono aspetti propri della religiosità greco-romana e potranno addirittura trasferirsi al Cristianesimo come le divinità femminili trasfuse nell'immagine della Madonna; ed è anche il caso di remotissime costumanze e superstizioni che affiorano nel folclore specialmente dell'Italia meridionale. In materia linguistica, a parte l'arricchirsi del vocabolario latino di parole accolte da vari preesistenti idiomi italiani (per cui noi pronunciamo tuttora ad esempio termini di origine etrusca come persona, popolo, milite, ecc.), sembrano doversi attribuire ad influenze del substrato prelatino talune peculiarità dialettali italiane specialmente nel campo della fonetica, come possibili riflessi dell'osco nel Mezzogiorno e del gallico nel Settentrione; assai più incerta ma non esclusa è la derivazione dell'aspirazione toscana dall'etrusco; in centri del sud come Napoli si continuò a parlare greco per tutta l'antichità e secondo un'ipotesi autorevole le isole linguistiche greche della Calabria e della Puglia, generalmente attribuite al dominio bizantino, affonderebbero almeno in parte le loro radici nell'antica grecità coloniale.

Al ricordo degli antichi popoli sopravviverà, per così dire congelata, la denominazione dei loro territori. Come si diceva proprio all'inizio della nostra trattazione, le regioni in cui Augusto ripartì l'Italia disegnano in trasparenza le preesistenti unità etnico-storiche; e ciò non soltanto come memoria erudita, ma come perdurante realtà di geografia antropica, sia pure adattata ad una certa volontà di inquadramento sistematico. Delle undici regioni, nove hanno nomi storici: la prima comprende Latium e Campania, forse rispecchiando i loro particolari legami instaurati nel IV secolo a.C.; la seconda designa la Puglia in generale o più specialmente la Puglia centro-settentrionale (Apulia) e il Salento (Calabria con la sua popolazione dei Salentini), estendendosi inoltre verso occidente fino ad includere il territorio del popolo italico-orientale degli Hirpini; la terza corrisponde alla Basilicata e alla Calabria attuali, l'una con il nome di Lucania, l'altra con la menzione dei Bruzi (si noti che manca qualsiasi riferimento alle presenze greche); la quarta raggruppa con il Samnium parte dei territori sabellici centrali (Sabini); la quinta, Picenum, si estende sul versante adriatico tra i fiumi Aterno ed Esino abbracciando, oltre che il paese degli antichi Piceni, anche quello dei Pretuzi e di parte dei Vestini; la sesta indica un'estensione dell'Umbria anche alla fascia adriatica del vecchio *ager Gallicus* (inglobato da Roma, come sappiamo, agl'inizi del III secolo); la settima copre l'Etruria storica con un limitato ampliamento nel territorio ligure di Luni; la nona circoscrive la Liguria antica fino al confine convenzionale del corso del Po; la decima unisce Venetia e Histria. Restano prive di nomi etnico-storici l'ottava regione, l'Aemilia, così chiamata dalla via Aemilia che la percorreva, ma designata altrimenti anche come Gallia Cispadana; e la undicesima, la Transpadana, che è accezione geografica (l'oltre Po: oggi Piemonte settentrionale e Lombardia) per altro da intendersi come Gallia Transpadana; e l'Italia settentrionale nel suo complesso si seguiterà a lungo a chiamare Gallia, sia pure « togata » (cioè romana). Nella tarda antichità si aggiungeranno la Sicilia e la Sardegna e la Corsica, già province estranee all'Italia, ma il resto dello schema augusteo rimarrà invariato salvo qualche lieve modifica (così ad esempio la Sabina si staccherà dal Sannio e prenderà il nome di Valeria dalla via omonima, e l'Umbria si unirà all'Etruria, ora denominata preferenzialmente Tuscia). Qualche eco dell'antica articolazione si protrarrà nel Medioevo nonostante le innovazioni dovute principalmente a fattori etnici e politici (Lombardia dai Longobardi, Romagna nell'Emilia orientale, Pentapoli poi Marca d'Ancona nell'Umbria orientale e nel Piceno settentrionale, Basilicata in luogo di Lucania, spostamento del nome della Calabria dal Salento alla regione attuale), fino all'età moderna quando l'erudizione umanistica concorrerà a ravvivare il ricordo dei nomi e dei territori tradizionali. La suddivisione regionale odierna ricalca per diversi aspetti l'antica, conservandone anche, talvolta lievemente modificati, gran parte dei nomi: Liguria, Venezie e Veneto, Emilia, Toscana, Umbria, Lazio, Campania, Puglia, Calabria, Sicilia, Sardegna.

Ai grandi retaggi di cultura lasciati in generale dal

Fig. 12. - Le regioni dell'Italia unificata al tempo di Augusto.

mondo italico alla romanità, oltre al filone delle tradizioni romano-latine che si consegnano direttamente e in quantità prevalente alle esperienze della società romana tardorepubblicana e imperiale, appartengono, per quanto possiamo arguire con maggiore o minore certezza, diverse istituzioni, usanze e manifestazioni: alcuni aspetti, e forse anche la stessa ispirazione originaria, dell'ordinamento municipale dominante nell'Italia romana, cioè della città di cittadini romani e compresa nello stato romano, dotata di una sua certa autonomia amministrativa espressa in un autogoverno di magistrature locali e con proprio territorio (*municipium*); nel campo religioso la pratica divinatoria dell'aruspicina di origine etrusca; nella ritualità funeraria l'accompagno dei morti con i ritratti degli antenati e processione con musici, anch'esso di probabile origine etrusca; in materia di cerimonie e di costumanze l'apparato del trionfo, il giuoco equestre di giovani detto *lusus Troiae* conosciuto in Etruria fin dal VII secolo a.C., i giuochi gladiatori di origine campana e forse, mediatamente, etrusca; nella letteratura e nel teatro le Atellane o farse parodistiche da Atella in Campania; nell'arte la produzione di pittura e di scultura popolaresca o locale che, in contrasto con le grandi correnti figurative ufficiali di gusto ellenistico o classicistico, perpetua e perfino accentua quelle forme sommarie, geometrizzanti, espressionistiche di cui si è già fatto cenno a proposito dell'ambiente italico nelle fasi finali della sua vita culturale autonoma.

Non sembra dubbio che esistano nella storia di Roma imperiale momenti in cui paiono manifestarsi più accentuati richiami alle radici italiche, siano essi collegati a generali orientamenti ideologici, politici, sociali, siano espressioni di persone o di ambienti proclivi alle rievocazioni antiquarie: ciò che forse non è sempre distinguibile. Nella fase conclusiva del processo di unificazione dell'Italia e del passaggio dalla repubblica al principato Ottaviano assunse come propria bandiera la difesa della tradizione italica contro l'orientalismo di Antonio (e del proprio stesso padre adottivo Cesare). In questa propensione s'inquadra il concetto della restaurazione augustea intesa come "ritorno" alle virtù degli antenati e insieme come palingenesi verso una nuova età di prosperità e di pace. Sul piano pratico ne deriva un rinascimento di vecchie istituzioni e di vecchi culti, mentre sul piano ideologico la politica di Augusto si riflette ed in pari tempo trova ispirazioni nella cerchia letteraria che lo circonda, che ha come patrono l'etrusco Mecenate e si esprime al più alto livello nella poesia di Virgilio, cantore dell'Italia guerriera con tutti i suoi antichi popoli nell'*Eneide* e dell'Italia agreste e produttiva nelle *Georgiche*. Fra le iniziative di Augusto può essere ricordata la ricostituzione dell'antica Veio in città, come Municipium Augustum Veiens: singolare omaggio al passato di una famosa avversaria di Roma, che è forse altrettanto romantico dell'immagine di Veio distrutta e scomparsa nei versi di Properzio (*Elegia*, IV, 10,27-30) certamente di poco anteriori.

È probabile che nella corte augustea siano stati favoriti e coltivati interessi di studio sull'Italia antica se il dotto lessicografo ed etruscologo Verrio Flacco fu chiamato ad istruire i nipoti dell'imperatore Gaio e Lucio Cesare. In questo ambiente poté formarsi la personalità erudita di Tiberio Claudio Druso, il futuro imperatore Claudio. Ed è in tal senso che si può parlare di un legame tra Augusto e Claudio per ciò che concerne l'attenzione alle memorie del passato. Claudio scrisse anch'egli di antichità etrusche come Verrio Flacco. Lasciò tracce della sua dottrina storica, a proposito dei rapporti fra Roma arcaica e il mondo etrusco, in un discorso al senato nel 48 d.C., riportato dall'iscrizione di una tavola bronzea di Lione (*Corpus Inscriptionum Latinarum*, XIII, 1668). Promosse d'autorità un tentativo pedantesco ed effimero di riforma dell'alfabeto latino con l'introduzione, tra l'altro, di una lettera *F* rovesciata rievocante il digamma etrusco per distinguere l'*u* con valore consonantico o *v*. Dovette avere rapporti con discendenti dell'aristocrazia etrusca, presumibilmente per influenza della moglie Urgulanilla forse di origine ceretana, e con le città etrusche, una delle quali, appunto Caere, gli dedicò una statua e, a quanto sembra, un monumento di cui resta un rilievo frammentario con le immagini simboliche di tre delle città dell'antica lega etrusca.

Non sappiamo quale sia stata la sorte di questa lega dopo la caduta di Volsinii nella prima metà del III secolo a.C.; è anche possibile che qualcuna delle sue manifestazioni sacrali o ludiche si sia conservata attraverso il tempo. Ma è indubbio che essa fu rinnovata in età romana imperiale, come reviviscenza ufficiale ed erudita, dubbio restando se proprio ad opera di Claudio o già di Augusto. In ogni caso noi ne abbiamo concrete testimonianze epigrafiche, a partire dal I secolo d.C. e fino al IV, per quel che riguarda i titoli di *praetor Etruriae* o *praetor (Etruriae) quindecim populorum* (evidentemente le città etrusche associate non erano più dodici ma quindici) e di *aedilis Etruriae* portati da personaggi romani di vario rango, più elevato il primo, che fu addirittura attribuito all'imperatore Adriano insieme con altre antiche cariche locali riesumate in suo onore come dittatore nel Lazio, demarco a Napoli e, fuori d'Italia, arconte ad Atene (Sparziano, *Vita Hadriani*, in *Historia Augusta*, 19,1). C'è senza dubbio da parte di Adriano un interesse per le tradizioni non solo dell'Etruria (ciò che potrebbe collegarsi anche con l'emergere ai suoi tempi di personaggi in qualche modo ricollegabili ad ambiente etrusco), ma in generale di tutta l'Italia, oltreché, come è ben noto, della Grecia e dell'Oriente. Ben s'intende che l'antica istituzione etrusca dovrebbe aver avuto sotto l'impero un'attività concentrata essenzialmente in cerimonie religiose, spettacoli, giuochi circensi e simili, ed è presumibile che i titoli sopra citati non siano soltanto onorifici, ma si riferiscano anche alla organizzazione e alla presidenza di queste celebrazioni. Le quali, a imitazione dell'antica consuetudine, sembra che si svolgessero – o fossero tornate a svolgersi – «presso Volsinii» (forse nel luogo dell'originario

Fanum Voltumnae?), come precisa il famoso rescritto dell'imperatore Costantino trovato a Spello in Umbria, con il quale si autorizzano gli abitanti di questa città a celebrare le festività in casa propria senza affrontare il viaggio in Etruria: riflesso evidente, sulle tradizioni locali, del nuovo ordinamento amministrativo di Diocleziano che aveva unito l'Umbria alla Tuscia in una sola regione (è possibile che alle comuni cerimonie presiedesse un *coronatus Tusciae et Umbriae* nominato in un'altra iscrizione di Spello pure del IV secolo d.C.).

L'eredità delle convenzioni formali dell'arte italica non si limita alla produzione popolare o di centri minori o periferici dell'Italia, ma si estende anche alle province dell'impero. Qui comincia a manifestarsi un fattore d'interesse sociologico, nel senso che queste tendenze, come altre consuetudini e costumanze, sono trasportate e impiantate ai margini del dominio di Roma, soprattutto in Europa e in Africa, dai legionari e sia pure in misura più limitata dai funzionari romani che almeno nel primo secolo dell'impero sono in grandissima prevalenza di estrazione italica: i modi stilistici semplificatori ed espressivi di tradizione italica, fondendosi con espressioni locali, danno luogo ad una tipica creatività figurativa quale è quella della Gallia e della Germania. D'altra parte a Roma stessa il rinnovamento delle classi dirigenti con il diluirsi o lo scomparire del vecchio ordine sociale fondato sulle grandi casate romane di rango senatoriale ed equestre, l'afflusso di provinciali, la progressiva elevazione di ceti subalterni possono aver favorito una reazione al classicismo dominante nell'arte ufficiale e l'affiorare di forme corsive tramandate per filoni sommersi scorrenti sotto la vernice dei modi ellenizzanti. Un grandioso "mutamento di stile" si manifesta nella seconda metà del II secolo d.C. anche a livello di grandi opere e assunto in alte espressioni qualitative come nei rilievi della Colonna di Marco Aurelio o nella ritrattistica imperiale del III secolo che talvolta singolarmente riecheggia sculture italiche di qualche secolo precedenti. Con questo si aprirà, in una sequenza di trasmissioni e d'innovazioni, il passaggio all'arte della tarda antichità e del Medioevo.

Alla tarda antichità e al Medioevo pervengono, anche per altri aspetti, lontani motivi delle civiltà dell'Italia preromana. Intanto è curioso che la figura dell'aruspice, sacro consigliere del potere politico e militare, ostinatamente sopravviva con le ultime pratiche della religione pagana fino al IV e addirittura al V secolo. L'erudizione di questi tempi più avanzati raccoglie e tramanda notizie frammentarie della più varia origine sopra un mondo scomparso da secoli, ma ancora capace di destare interesse, come risulta dalle annotazioni analitiche che accompagnano la rievocazione dell'Italia antichissima nei commentari all'*Eneide* di Virgilio con particolare riguardo a quello del grammatico Servio; mentre lessicografi come Esichio riportano parole delle vecchie lingue dimenticate e scrittori cristiani come Arnobio e bizantini come Giovanni Lorenzo Lido dissertano sulle dottrine religiose specialmente etrusche.

Ma è evidente che nel grandioso patrimonio di tradizioni storiche che dall'antichità si trasmette attraverso il Medioevo fino ai tempi moderni le memorie dei popoli italici restano inevitabilmente assorbite e soffocate dal retaggio letterario greco e latino, e confuse nell'immagine del mondo classico. Esse cominceranno a poco a poco a distinguersi soltanto a partire dal Rinascimento e sempre più nei secoli successivi specialmente per merito delle scoperte archeologiche e dell'osservazione dei monumenti. Progredite con ritmo accelerato nel corso delle ultime generazioni, la loro restituzione e la loro interpretazione, in particolare dal punto di vista dei valori della storia, sono oggi ancora in atto.

QUADRO CRONOLOGICO

	Avvenimenti nell'area italiana	Principali avvenimenti nel resto del Mediterraneo
XVI-XV sec. a.C.	civiltà del bronzo medio (appenninico) - genti parlanti diversi tipi di lingue indoeuropee sono già penetrate in Italia e in parte mescolate fra loro e con le popolazioni indigene - influenze micenee (Miceneo I e II)	fioritura della civiltà tardoelladica (micenea) in Grecia - conquista micenea di Creta - concomitanza con la XVIII Dinastia egiziana e con il primato dell'Egitto nel Vicino Oriente
XIV-XIII sec. a.C.	civiltà del bronzo recente (tardoappenninico o subappenninico) - massima diffusione dell'influenza micenea (Miceneo III A e B) e probabile frequentazione micenea nelle coste dell'Italia meridionale e tirrenica e nelle isole	potere centralizzato e larga diffusione mediterranea del sistema politico-economico miceneo - concomitanza con la XIX Dinastia egiziana e con la fioritura dell'impero hittita in Asia Minore - primi movimenti dei Popoli del mare
intorno al 1200		date tradizionali della guerra di Troia
XII-XI sec. a.C.	civiltà del bronzo finale (« protovillanoviano ») - spostamenti etnici: Iapigi in Puglia; Ausoni, Siculi, ecc. nelle Isole Eolie e in Sicilia - ultime influenze micenee (Miceneo III C) e diradamento dei rapporti con l'Egeo	crisi nel Mediterraneo orientale e nel Vicino Oriente: Popoli del mare (Plst, Trš, Šrdn, Šklš, ecc.: loro possibili connessioni con l'area italiana) - decadenza e frantumazione del sistema miceneo - stili ceramici submiceneo e protogeometrico
X sec. a.C.	ultime fasi della civiltà del bronzo finale - inizio delle differenziazioni regionali in rapporto con i futuri raggruppamenti etnici storici	possibile inizio delle navigazioni e delle colonizzazioni fenicie in Occidente

	Avvenimenti nell'area italiana	Principali avvenimenti nel resto del Mediterraneo
IX sec. a.C.	civiltà del ferro con manifestazioni differenziate per i diversi gruppi etnici (« Paleoitalici » nell'area delle tombe a fossa, Iapigi in Puglia, primi Italici orientali nell'area medioadriatica e centroappenninica, Latini nel Lazio, Etruschi nell'area di cultura villanoviana, Paleoveneti nell'area di cultura atestina) - espansione villanoviana verso il nord (Emilia-Romagna) e verso il sud (Salernitano)	sostituzione dei regimi oligarchici ai sistemi monarchici in Grecia - formazione della *polis* - civiltà caratterizzata dallo stile geometrico colonie fenicie nel Mediterraneo occidentale
ca. 800		fondazione di Cartagine
VIII sec. a.C.	navigazioni etrusche verso il Tirreno meridionale e inizio della « talassocrazia » etrusca - penetrazione dello stile ceramico geometrico nell'Italia tirrenica	inizio dei movimenti di navigazione e colonizzazione greca in Occidente
ca. 775	fondazione della colonia greca di Pitecusa nell'isola d'Ischia da parte degli Euboici e poco dopo di Cuma sulla costa campana	
ca. 750	fondazione euboica di Naxos e megarese di Megara Iblea in Sicilia	
	accentuato sviluppo della civiltà villanoviana evoluta in Etruria - differenziazioni sociali ed emergere di una classe egemonica - formazione delle città in Etruria, nel Lazio, in Campania (753 data canonica della fondazione di Roma)	
ca. 730	fondazione corinzia di Siracusa	
ca. 710-715	fondazioni achee di Sibari e Crotone, laconica di Taranto	

		Avvenimenti nell'area italiana	Principali avvenimenti nel resto del Mediterraneo
		primi influssi orientalizzanti nell'Italia tirrenica - introduzione della scrittura alfabetica (euboica) in Etruria	diffusione del gusto orientalizzante in Grecia
VII sec. a.C.	ca. 700-670	fondazioni rodio-cretese di Gela, locrese di Locri Epizefiri, colofonia di Siris	
		pieno sviluppo della civiltà orientalizzante in Etruria con riflessi nel Lazio - fioritura di Caere e di Preneste - Sabini a Roma	
	ca. 650	fondazione di Selinunte da parte di Megara Iblea	tirannide a Corinto: Cipselo (657-627) e Periandro (627-585) - particolare fioritura della potenza e della civiltà corinzia - sviluppo dell'arte « dedalica » e peloponnesiaca in Grecia
		influenza corinzia - orientalizzante evoluto - edilizia e inizio della decorazione architettonica con terrecotte	prime navigazioni greco-orientali a largo raggio in Occidente: Kolaios di Samo raggiunge Tartesso in Iberia
	ca. 615	gli Etruschi a Roma (« periodo di Tarquinio Prisco ») - fase culminante della « talassocrazia » e del commercio etrusco, nonché della espansione terrestre degli Etruschi	
VI sec. a.C.	ca. 600	possibili prime penetrazioni dei Celti nell'Italia settentrionale	espansione marittima dei Focei - fondazione di Massalia (Marsiglia)
			riforme di Solone ad Atene
	ca. 580	Cnidii e Rodii alle Isole Eolie - fondazione di Agrigento da parte di Gela	contese sociali e civili a Mileto
		fioritura di Sibari nell'Italia meridionale	
		fioritura di Vulci in Etruria	
	ca. 575-530	possibile inizio di contese sociali e civili nell'Italia centrale - imprese di Mastarna e dei fratelli Vibenna - « periodo serviano » e riforme attribuite a Servio Tullio	crescita di Cartagine fra le città fenicie d'Occidente

VI sec. a.C.

	Avvenimenti nell'area italiana	Principali avvenimenti nel resto del Mediterraneo
545		Ciro re dei Persiani conquista l'Asia Minore - fuga in Occidente dei Focei, che si aggiungono ad altri Focei già installati in Corsica
ca. 540	coalizione etrusco-cartaginese contro i Focei di Corsica - battaglia navale del Mare Sardo - conseguente controllo etrusco sulla Corsica e primi tentativi di conquista della Sardegna da parte di Cartagine	
535-530	fondazione di Velia da parte dei Focei fuggiaschi dalla Corsica - fondazione samia di Dicearchia (Pozzuoli) - Pitagora in Italia	
	diffusione generale in Italia dell'arte greco-orientale (ionica)	
	possibile alleanza dei Sardi (Serdaioi?) con Sibari contro la minaccia cartaginese	
ca. 530-510	reazione tirannica a Roma: « periodo di Tarquinio il Superbo » - predominio di Roma sul Lazio	
525	guerra degli Etruschi contro Cuma, loro sconfitta e affermazione di Aristodemo	
510-509	sconfitta e distruzione di Sibari da parte di Crotone	concomitanza con la fine della tirannide di Ippia e con l'instaurazione della democrazia ad Atene
	data tradizionale della caduta della monarchia e della fondazione della repubblica a Roma - primo trattato tra Roma e Cartagine	
	espansione di Chiusi: il re Lars Porsenna a Roma	

		Avvenimenti nell'area italiana	Principali avvenimenti nel resto del Mediterraneo
VI sec. a.C.	ca. 504	battaglia di Aricia: Arunte Porsenna sconfitto da Aristodemo di Cuma alleato con i Latini	
		conquista della Sardegna da parte dei Cartaginesi: impresa dei Magonidi	
V sec. a.C.	499-498		rivolta degli Ioni d'Asia Minore contro i Persiani
	495	Anaxilas tiranno di Regio	
	490	periodo in cui può collocarsi approssimativamente la tirannia filocartaginese di Thefarie Velianas a Caere - inizio della penetrazione dei Volsci nel Lazio	prima guerra persiana: offensiva di Dario e battaglia di Maratona - vittoria dei Massalioti sui Cartaginesi al Capo Artemisio
	485	Gelon tiranno a Siracusa	
	480	vittoria di Gelon sui Cartaginesi a Imera	seconda guerra persiana: battaglie delle Termopili e di Salamina; seguiranno le battaglie di Platea e di Micale (479) che concluderanno la guerra
	478	Hieron tiranno di Siracusa	
	477		inizio dei « cinquanta anni di pace » in Grecia - primato di Atene - lega navale di Delo
	474	battaglia navale di Cuma: disfatta degli Etruschi da parte di Hieron e dei Cumani	
	473	offensiva e vittoria dei Messapi contro Taranto: loro possibile avanzata fino a Reggio	
		sviluppo delle città dell'Etruria interna e fioritura dell'Etruria padano-adriatica (Bologna: civiltà della Certosa, Marzabotto, Spina)	

V sec. a.C.

	Avvenimenti nell'area italiana	Principali avvenimenti nel resto del Mediterraneo
468	irruzione a Roma del sabino Appio Herdonio	
460-451	imprese del capo siculo Ducezio	periodo di massimo splendore della civiltà greca, della letteratura e dell'arte classica - Atene sotto la signoria di Pericle
454-453	spedizioni degli ammiragli siracusani Phaillos e Apelle contro i mari e le coste settentrionali dell'Etruria	
	tentativi di ingerenza di Atene, per iniziativa di Pericle, nell'Italia meridionale e in Sicilia	
446-444	fondazione panellenica di Thurii nel luogo di Sibari	
ca. 440-430	pressione dei Sanniti in Campania e formazione del popolo dei Campani	
431-421		prima fase della guerra del Peloponneso fra Atene e Sparta (guerra archidamica)
423	occupazione di Capua da parte dei Sanniti e fine del dominio etrusco in Campania	
420	occupazione di Cuma da parte dei Campani e avvio ad un condominio greco-campano a Napoli	
415-413	spedizione ateniese contro Siracusa - partecipazione di un contingente etrusco (forse tarquiniese, comandato da Veltur Spurinna?) a fianco degli Ateniesi con parziale successo militare - esito disastroso generale dell'impresa	
413-404		ultima fase della guerra del Peloponneso e disfatta finale di Atene da parte degli Spartani e dei Persiani

		Avvenimenti nell'area italiana	Principali avvenimenti nel resto del Mediterraneo
V sec. a.C.	409	riscossa dei Cartaginesi in Sicilia: presa di Selinunte e di Imera	
	406-404	conquista cartaginese di Agrigento, Gela, Camarina - presa di potere di Dionisio a Siracusa	
IV sec. a.C.	396	presa e distruzione di Veio da parte dei Romani	
	ca. 390	incursioni dei Galli nell'Italia centrale e lungo il litorale adriatico - costituzione della lega dei Lucani	
	387-383	consolidamento del potere di Dionisio e sua politica espansionistica - presa di Reggio - imprese in Adriatico - fondazione di Ancona - intese con i Galli	
	ca. 386	incendio gallico di Roma	egemonia di Sparta
	384	saccheggio del santuario di Pyrgi da parte della flotta di Dionisio	
	383-374	guerra tra Dionisio e Cartagine alleata con le città italiote e con i Lucani - lega italiota di Archita	
	371		ripresa di Atene - battaglia di Leuttra - primato di Tebe
	367	morte di Dionisio, ascesa di Dionisio II e inizio di una fase di anarchia a Siracusa e in Sicilia	
		probabile fase di egemonia di Tarquinia in Etruria	
	358-351	guerra di Tarquinia contro Roma, condotta da Aulo Spurinna - detronizzazione del re di Caere - operazioni nel Lazio - guerra servile ad Arezzo	

IV sec. a.C.

	Avvenimenti nell'area italiana	Principali avvenimenti nel resto del Mediterraneo
356	formazione della lega dei Bruzii - crescenti pressioni dei Lucani sulle città italiote - minacce dei Messapi che conquistano Metaponto ed Eraclea	inizio della politica espansionistica di Filippo di Macedonia in Grecia
343-342	Timoleonte a Siracusa - Archidamo re di Sparta a Taranto	
340-338	guerra vittoriosa di Roma contro i Latini, i Volsci e i Campani - formazione di una lega romano-latino-campana	
338		battaglia di Cheronea e imposizione del dominio macedone sulla Grecia
336		morte di Filippo e avvento al trono di Alessandro Magno
334-323		conquiste di Alessandro in Oriente fino alla sua morte
ca. 333-330	imprese di Alessandro il Molosso nell'Italia meridionale	
326-304	guerra di Roma contro i Sanniti - rapporti dei Romani con la Puglia	
318-289	Agatocle tiranno di Siracusa e quindi re dei Sicelioti - guerra contro Cartagine, con aiuto etrusco, e spedizione in Africa - imprese nell'Italia meridionale	
315-314	spedizione dello spartano Acrotato in Sicilia	

		Avvenimenti nell'area italiana	Principali avvenimenti nel resto del Mediterraneo
IV sec. a.C.	311-307	guerra degli Etruschi contro Roma	
	306	trattato romano-cartaginese con attribuzione dell'Italia a Roma, della Sicilia a Cartagine	
	303-302	spedizione dello spartano Cleonimo nell'Italia meridionale: alleato di Taranto e contro i Lucani	
III sec. a.C.	296-295	coalizione di Sanniti, Galli, Etruschi e Umbri contro Roma - disfatta dei Sanniti e dei Galli a Sentino - vittorie romane sugli Etruschi	civiltà e arte ellenistica in in Grecia e nei regni dei Diadochi in Oriente
	ca. 285	fondazione a Messina dello stato dei mercenari campani di Agatocle detti Mamertini	
	285-282	vittorie dei Romani sui Galli Senoni - conquista dell'*ager Gallicus* - battaglia del Lago Vadimone - ostilità con Sanniti, Lucani e Bruzi - occupazione romana delle città greche dell'Italia meridionale (Thurii, Locri, Reggio)	
	280-272	guerra di Roma contro Taranto - Pirro re dell'Epiro in Italia: vittorie iniziali sui Romani; sfortunata spedizione contro i Cartaginesi in Sicilia; battuto a Benevento (275) abbandona l'Italia - resa di Taranto	
	265	rivoluzione popolare a Volsinii e conquista e spostamento della città da parte dei Romani	
	264-241	prima guerra punica	

		Avvenimenti nell'area italiana	Principali avvenimenti nel resto del Mediterraneo
III sec. a.C.	224	coalizione gallica contro Roma - battaglia di Talamone - conseguente occupazione dei territori gallici della pianura padana	
	218-201	seconda guerra punica - Annibale in Italia	
II sec. a.C.	199-196		guerra di Roma contro la Macedonia - inizio delle imprese e conquiste romane nel Mediterraneo orientale con l'ausilio militare degli alleati italici
		riconquista romana dell'Italia settentrionale	
	186	affare dei Baccanali: repressione del culto dionisiaco largamente diffuso tra gli alleati italici	
	166		porto franco a Delo - inizio delle attività dei negoziatori italici in Oriente
	149-146		terza guerra punica: distruzione di Cartagine - definitiva affermazione del dominio romano nel Mediterraneo
		progressiva assunzione di elementi servili al livello civile nell'Etruria settentrionale	
	134-132	guerra servile in Sicilia	
	133	riforma agraria e morte di Tiberio Gracco	
		malcontento degli alleati italici	
	125	rivolta e distruzione di Fregellae	
	123-121	proposte di legge, anche a favore degli alleati italici, e morte di Gaio Gracco	

	Avvenimenti nell'area italiana	Principali avvenimenti nel resto del Mediterraneo
91 (I sec. a.C.)	uccisione del tribuno Livio Druso amico degli Italici e scoppio della guerra sociale coinvolgente le popolazioni di lingua osca del centro e del sud dell'Italia - presentazione della *lex Iulia* per la concessione della cittadinanza romana agli Italici	
90-87	continuazione e progressivo esaurimento della guerra sociale - affermazione a Roma di Mario e del partito democratico e filoitalico	massacro di Italiani in Oriente e guerra contro Mitridate re del Ponto - possibili contatti tra Mitridate e gl'insorti italici
83-82	ritorno di Sulla dall'Oriente e repressioni contro gli elementi italici - disfatta dei contingenti sannitici nelle battaglie di Sacriporto, della Porta Collina e a Palestrina - azioni antietrusche di Sulla	
72-71	guerra servile di Spartaco	
49-42	provvedimenti di concessione della cittadinanza romana alle popolazioni dell'Italia settentrionale	
41-40	guerra perugina: fine di un ambiente tradizionale etrusco	
27 a.C. - 14 d.C.	principato di Augusto	
41-54 d.C.	principato di Claudio	
117-138 d.C.	principato di Adriano	
fine II - III sec. d.C.	riaffiorano tradizioni italiche nell'arte ufficiale romana	
IV-V sec. d.C.	ultime testimonianze sulle attività degli aruspici	

BIBLIOGRAFIA

Precede un elenco generale, in ordine alfabetico degli autori (o dei titoli delle opere collettive), comprendente le pubblicazioni che riguardano i problemi della storia dell'Italia preromana o concorrono comunque ad illuminarla secondo le prospettive del presente volume. La scelta riguarda gli scritti che abbiano il valore di autentici contributi critici, con esclusione di opere secondarie o di divulgazione. All'elenco generale fa seguito un registro di richiami per ciascun capitolo del libro.

ADRIANI, M., *La tematica « Roma-Italia » nel corso della storia antica*, in « Studi Romani », XVI (1968), pp. 134-148.

ALFÖLDI, A., *Early Rome and the Latins*, Ann Arbor (1965).

ALTHEIM, F., *Italien und Rom*, I, Amsterdam-Leipzig 1941.

Atti del V Congresso Internazionale di Studi sulla Sicilia antica, in « Kokalos », XXVI-XXVII (1980-1981) (contengono relazioni e discussioni concernenti aspetti della storia della Sicilia e dell'Italia peninsulare).

Aufstieg und Niedergang der römischen Welt, I: *Von den Anfängen Roms bis zum Ausgang der Republik*, 4 voll. e vol. di tavole, Berlin-New York 1972-1973 (raccolta di saggi di vari autori con riferimenti alla storia e alla civiltà dell'Italia preromana: volumi iniziali di una vasta collana).

BELOCH, K.J., *Römische Geschichte bis zum Beginn der Punischen Kriege*, Berlin-Leipzig 1925.

BÉRARD, J., *La colonisation grecque de l'Italie méridionale et de la Sicile dans l'antiquité*, Paris 1957[2].

BERNARDINI, E., *Problemi della monetazione dei confederati italici durante la guerra sociale*, in « Rivista Italiana di Numismatica », LXVIII (1966), pp. 61-90.

BIANCHI BANDINELLI, R. - GIULIANO, A., *Etruschi e Italici prima del dominio di Roma*, Milano 1973.

Bibliografia topografica della colonizzazione greca in Italia e nelle isole tirreniche, diretta da G. NENCI e G. VALLET, I, II: *Opere di*

carattere generale, a cura di G. PANESSA e di altri, Pisa-Roma-Napoli 1977, 1981.
BRACCESI, L., *Grecità adriatica*, Bologna 1977².
Il bronzo finale in Italia (Atti della XXI Riunione dell'Istituto Italiano di Preistoria e Protostoria, 1977), Firenze 1979.
BRUNT, P.A., *Italian Aims at the Time of the Social War*, in « Journal of the Roman Studies », LV (1965), pp. 90-109.
— *Italian Manpower 225 B.C.-A.D. 14*, Oxford 1971.
CALDERONE, S., Ἡ ἀρχαῖα Ἰταλία, in « Messana », IV (1955), pp. 77-124.
CASSON, L., *Ancient Mariners. Seafarers and Sea Fighters of the Mediterranean in Ancient Time*, London 1959.
CIACERI, E., *Storia della Magna Grecia*, 3 voll., Milano-Roma 1927-1932³.
CIANFARANI, V., *Culture adriatiche antiche d'Abruzzo e di Molise*, Roma 1978.
Civiltà del Lazio primitivo (catalogo di mostra, introduzione e schede di vari autori), Roma 1976.
COLONNA, G., v. *Scavi nel santuario etrusco di Pyrgi...*
— *Ricerche sugli Etruschi e sugli Umbri a nord degli Appennini*, in « Studi Etruschi », XLII (1974), pp. 3-24.
COUISSIN, P., *Guerriers et gladiateurs samnites*, in « Revue Archéologique », XXXII (1930), pp. 235-279.
DE FRANCISCI, P., *Primordia Civitatis*, Roma 1959.
DELLA CORTE, F., *Su un « elogium Tarquiniense »*, in « Studi Etruschi », XXIV (1955-1956), pp. 73-78.
DE SANCTIS, G., *Storia dei Romani*, 4 voll., Torino 1907-1923.
— *La guerra sociale*, Firenze 1976.
DEVOTO, G., *Gli antichi Italici*, Firenze 1967³.
— *Scritti minori*, II, Firenze 1967 (volume dedicato in particolare alla raccolta di scritti su problemi del mondo italico, generalmente linguistici e storico-culturali: di interesse più propriamente storico il settore *Umbri ed Etruschi* [articoli del 1930, 1938, 1960, 1965], inoltre *Protolatini* [1942], *Leponzi* [1962], *Le origini tripartite di Roma* [1953], *Tarpea* [1958]).
— *Storia italica*, in « Rivista di Filologia e d'Istruzione Classica », XCVII (1969), pp. 257-267.
DUCATI, P., *L'Italia antica dalle prime civiltà alla morte di C. Giulio Cesare*, Milano 1938.
DUHN, F. VON - MESSERSCHMIDT, F., *Italische Gräberkunde*, 2 voll., Heidelberg 1924-1939.
DUNBABIN, J.J., *The Western Greeks*, Oxford 1948.

Felletti Maj, B.M., *La tradizione italica nell'arte romana*, Roma 1977.
Fogolari, G., *I Galli nell'Alto Adriatico*, in « Antichità Altoadriatiche », XIX (1981), pp. 15-42.
Frankfort, T., *Les classes serviles en Etrurie*, in « Latomus », XVIII (1959), pp. 3-22.
Frederiksen, M., v. *Italy before the Romans...*
Furumark, A., *Det aldsta Italien*, Uppsala 1947.
Gabba, E., *Le origini della Guerra Sociale e la vita politica romana dopo l'89 a.C.*, in « Athenaeum », XXXII (1954), pp. 41-114, 293-345 (e in *Esercito e società nella tarda repubblica romana*, Firenze 1973).
— *Perusine War*, in « Harvard Studies of Classical Philology », LXXV (1971), pp. 139-160.
— *Il problema dell'« unità » dell'Italia romana*, in *La cultura italica* (Atti del Convegno della Società Italiana di Glottologia, Pisa 1977), Pisa 1978, pp. 11-27.
— v. *La Sicilia antica.*
I Galli e l'Italia (catalogo di mostra, contributi di vari autori), Roma 1978.
Gamurrini, G.F., *Bibliografia dell'Italia antica*, 2 voll., Roma 1933-1936.
Garbini, G., v. *Scavi nel santuario etrusco di Pyrgi...*
Le genti non greche della Magna Grecia (Atti dell'undicesimo Convegno di Studi sulla Magna Grecia, Taranto 1971), Napoli 1972.
Giannelli, G., *La Magna Grecia da Pitagora a Pirro*, Milano 1928.
— *Trattato di storia romana*, I: *L'Italia antica e la repubblica romana*, Roma 1953.
Giuliano, A., v. Bianchi Bandinelli.
Göhler, J., *Rom und Italien*, Breslau 1939.
Harris, W.V., *Rome in Etruria and Umbria*, Oxford 1971.
Hatzfeld, J., *Les trafiquants italiens dans l'Orient hellénique*, Paris 1919.
Hellenismus in Mittelitalien (colloquio in Göttingen 1974), Göttingen 1976.
Hencken, H., *Tarquinia, Villanovans and Early Etruscans*, 2 voll., Cambridge (Mass.) 1968.
Herbig, R., *Die italische Wurzel der römischen Bildniskunst*, in *Das neue Bild der Antike*, II, 1942, pp. 85-99.
Heurgon, J., *Trois études sur le « ver sacrum »*, Bruxelles 1957.
— *La vie quotidienne chez les Etrusques*, Paris 1961; ristampa aggiornata, 1979; ediz. italiana, *La vita quotidiana degli Etruschi*, Milano 1963.

— *Rome et la Méditerranée occidentale jusqu'aux guerres puniques*, Paris 1969; ediz. italiana riveduta, *Il Mediterraneo occidentale dalla preistoria a Roma arcaica*, Bari 1972.

HOFMANN, A. VON, *Das Land Italien und seine Geschichte*, Berlin-Stuttgart 1921.

HOMO, L., *L'Italie primitive et les débuts de l'impérialisme romain*, Paris 1953².

ILARI, V., *Gli Italici nelle strutture militari romane*, Milano 1974.

L'integrazione dell'Italia nello stato romano attraverso la poesia e la cultura proto-augustea (autori vari), in *Università Cattolica, Contributi dell'Istituto di Storia Antica*, I, Milano, pp. 146-175.

L'Italie préromaine et la Rome républicaine. Mélanges offerts à J. Heurgon, 2 voll., Roma 1976 (comprende scritti di diversi autori più o meno direttamente attinenti a problemi di storia e civiltà dell'Italia preromana).

Italy before the Romans. The Iron Age, Orientalizing and Etruscan Periods, edited by D. and F.R. RIDGWAY, London-New York-San Francisco 1979 (raccolta di scritti, solo in parte inediti, di vari autori: tutti concorrono ad illuminare in qualche modo la storia della civiltà dell'Italia preromana nelle sue fasi più antiche; di maggiore interesse storico sono i contributi di R. PERONI, *From Bronze Age to Iron Age: Economic, Historical and Social Considerations*; J. DE LA GENIÈRE, *The Iron Age in Southern Italy*; D. RIDGWAY, *Early Rome and Latium: An Archaeological Introduction*; M. PALLOTTINO, *The Origins of Rome: A Survey of Recent Discoveries and Discussions* [v. anche M. PALLOTTINO, *Saggi di antichità*]; M. FREDERIKSEN, *The Etruscans in Campania*; J. e L. JEHASSE, *The Etruscans and Corsica*).

JEHASSE, J. e L., v. *Italy before the Romans*.

KLINGER, F., *Italien. Name, Begriff und Idee im Altertum*, in *Römische Geisteswelt*, München 1967⁴, pp. 11-33.

KRAHE, H., *Die Indogermanisierung Griechenlands und Italiens*, Heidelberg 1949.

KRUTA, V., *Les Boïens de Cispadane. Essai de paléoethnographie celtique*, in « Études Celtiques », XVII (1980), pp. 7-32.

— *Les Sénons de l'Adriatique d'après l'archéologie (prolégomènes)*, in « Études Celtiques », XVIII (1981), pp. 7-38.

LA GENIÈRE, J. DE, v. *Italy before the Romans*.

LAMBRECHTS, R., *Essai sur les magistratures des républiques étrusques*, Bruxelles-Rome 1959.

Le lamine di Pyrgi (Tavola rotonda, Roma 1968; Accademia Nazionale dei Lincei, Quaderno n. 147), Roma 1970.

LANGLOTZ, E., *L'arte della Magna Grecia*, Roma 1968.

LEJEUNE, M., *La romanisation des anthroponymes indigènes d'Italie*, in *L'onomastique latine* (Colloque du CNRS, Paris 1975), 1977, pp. 35-41.
— *Ateste à l'heure de la romanisation (Étude anthroponymique)*, Firenze 1978.
LEPORE, E., L''Ιταλία *nella formazione della comunità romano-italica*, in « Klearchos », V (1963), pp. 89-113.
LEVI, M.A., *L'Italia antica*, I: *Dalla preistoria alla unificazione della penisola*, Milano 1968.
LIOU, B., *Praetores Etruriae XV populorum (Étude d'épigraphie)*, Bruxelles 1969.
LOICQ, J., *Les Celtes en Italie (1965-1975)*, in « Études Celtiques », XV (1978), pp. 655-703.
Magna Grecia e mondo miceneo (catalogo di mostra), Taranto 1982.
La Magna Grecia e Roma in età arcaica (Atti dell'ottavo Convegno di Studi sulla Magna Grecia, Taranto 1968), Napoli 1971.
MAIURI, A., *Saggi di varia antichità*, Venezia 1954 (raccolta di articoli precedentemente pubblicati, tra cui *Problemi di archeologia italica* [1946]).
— *Arte e civiltà dell'Italia antica*, Milano 1960.
MANSUELLI, G.A., *Problemi della storia gallica in Italia*, in *Hommages à A. Grenier*, III, Bruxelles-Berchem 1962, pp. 1068-1094.
— *Formazione delle civiltà storiche nella pianura padana orientale. Aspetti e problemi*, in « Studi Etruschi », XXXIII (1965), pp. 3-47.
— *Etruschi e Celti nella valle del Po*, in *Hommages à M. Renard*, II, Bruxelles 1969, pp. 485-504.
MARZULLO, A., *Le origini italiche e lo sviluppo letterario delle Atellane*, Modena 1956.
MASCIOLI, F., *Anti-Roman and Pro-Italic Feeling in Italian Historiography*, in « Romanic Review », XXXII (1942), pp. 366-384.
MAZZARINO, S., *Dalla monarchia allo stato repubblicano*, Catania (1945).
— *Introduzione alle guerre puniche*, Catania 1947.
— *Fra oriente e occidente. Ricerche di storia greca arcaica*, Firenze, 1947.
— *Il pensiero storico classico*, Bari 1983².
MESSERSCHMIDT, F., v. DUHN.
Metropoli e colonie di Magna Grecia (Atti del terzo Convegno di Studi sulla Magna Grecia, Taranto 1963), Napoli 1964.
MEYER, E., *Die Organisation der Italiker im Bundesgenossenkrieg*, in « Historia », VII (1958), pp. 74-79.

MICALI, G., *L'Italia avanti il dominio dei Romani*, Firenze 1810; Firenze 1821[2].
— *Storia degli antichi popoli italiani*, Firenze 1832.
MOMIGLIANO, A., *L'opera dell'imperatore Claudio*, Firenze 1932.
MOMMSEN, T., *Römische Geschichte*, 3 voll., Berlin 1854-1857, seguita da altre edizioni; ediz. italiana recente, *Storia di Roma antica*, Firenze 1960.
MOREL, J.-P., *L'expansion phocéenne en Occident. Dix années de recherches (1966-1975)*, in « Bulletin de Corrispondence Hellénique », XCIX (1975), pp. 853-896.
MÜLLER-KARPE, H., *Beiträge zur Chronologie der Urnenfelderzeit nördlich und südlich der Alpen*, 2 voll., Berlin 1959.
NAPOLI, M., *Civiltà della Magna Grecia*, Roma 1969.
NENCI, G., v. *Bibliografia topografica della colonizzazione greca...*
NISSEN, H., *Italische Landeskunde*, 2 voll., Berlin 1883-1902.
Nuovi studi su Velia (« La parola del passato »), 1970 (scritti di vari autori).
Les origines de la république romaine (Entretiens sur l'antiquité classique, Fondation Hardt), Vandoeuvres-Genève 1967 (contributi di vari autori concernenti un aspetto della storia dell'Italia arcaica).
PAIS, E., *Italia antica. Ricerche di storia e geografia storica*, Bologna 1922.
— *Storia dell'Italia antica*, Roma 1925.
PALLOTTINO, M., v. *Scavi nel santuario etrusco di Pyrgi.*
— *Civiltà artistica etrusco-italica*, Firenze 1971.
— *Note sui documenti epigrafici rinvenuti nel santuario*, in *Pyrgi. Scavi nel santuario etrusco (1959-1967), Notizie degli scavi 1970*, II Supplemento (1972), pp. 730-743.
— *Saggi di antichità*, 3 voll., Roma, 1979 (raccolta di scritti precedentemente pubblicati, dei quali più direttamente attinenti a problemi storici dell'Italia preromana sono i seguenti [citati con la data di prima edizione]: *Le origini storiche dei popoli italici* [1955]; *Appunti di protostoria latina ed etrusca* [1940]; *Sulla cronologia dell'età del bronzo finale e dell'età del ferro in Italia* [1960]; *L'origine des villes protohistoriques de l'Italie centrale* [1972]; *Nuovi studi sul problema delle origini etrusche (bilancio critico)* [1961]; *Le origini di Roma* [1960]; *Fatti e leggende (moderne) sulla più antica storia di Roma* [1963]; *Le origini di Roma: considerazioni critiche sulle scoperte e sulle discussioni più recenti* [1972]; *Tradizione etnica e realtà culturale dell'Etruria, Umbria e Romagna prima della unificazione augustea* [1940]; *Uno spiraglio di luce sulla storia etrusca: gli « elogia Tarquinien-*

sia » [1950]; *Il filoetruschismo di Aristodemo e la data della fondazione di Capua* [1956]; *Gli Etruschi nell'Italia del nord: nuovi dati e nuove idee* [1962]; *Les relations entre les Étrusques et Carthage du VIIe au IIIe siècle avant J.C.: nouvelles données et essai de périodisation* [1963]; *Nuova luce sulla storia di Roma arcaica dalle lamine d'oro di Pyrgi* [1965]; *Rapporti tra Greci, Fenici, Etruschi ed altre popolazioni italiche alla luce delle nuove scoperte* [1966]; *La Magna Grecia e l'Etruria* [1968]; *La Sicilia fra l'Africa e l'Etruria: problemi storici e culturali* [1972]; *Servius Tullius, à la lumière des nouvelles découvertes archéologiques et épigraphiques* [1977]; *Sul concetto di storia italica* [1976]; *Nuovi spunti di ricerca sul tema delle magistrature etrusche* [1955-1956]; *Una mostra dell'Abruzzo arcaico e i problemi della civiltà italica medio-adriatica* [1970]).

— *Internationale Beziehungen vom 9. bis zum 5. Jahrhundert v. Chr.*, in *Kunst und Kultur Sardiniens vom Neolithikum bis zum Ende der Nuraghenzeit* (catalogo di mostra), Karlsruhe 1980, pp. 180-184.

— *Genti e culture dell'Italia preromana*, Roma 1981.

— *Etruscologia*, 1984^{7}.

PANESSA, G., v. *Bibliografia topografica della colonizzazione greca...*

PARATORE, E., *Virgilio*, Roma 1945.

PARETI, L., *Studi siciliani ed italioti*, 2 voll., Firenze 1914.

— *Storia di Roma*, I: *L'Italia e Roma avanti il conflitto di Taranto*, Torino 1952.

— *Sicilia antica*, Palermo 1959.

« La parola del passato », Napoli (rivista che contiene articoli, note e recensioni interessanti direttamente o indirettamente la storia dell'Italia preromana).

PASQUALI, G., *La grande Roma dei Tarquini*, in *Terze pagine stravaganti*, Firenze 1942, pp. 1-24.

PATRONI, G., *La preistoria (Storia politica d'Italia)*, Milano 1951^{2}.

PELLEGRINI, G.B., *Popoli e lingue dell'Italia superiore*, in « Centro Antichità Alto-Adriatiche », IV (1973), pp. 35-55.

PERONI, R., v. *Italy before the Romans...*

PEYRE, C., *La Cisalpine gauloise du IIIe au Ier siècle avant J.-C.*, Paris 1979.

PFIFFIG, A.J., *Die Ausbreitung des römischen Städtewesens in Etrurien und die Frage der Unterwerfung der Etrusker*, Firenze 1960.

PISANI, V., *Le lingue dell'Italia antica oltre il latino*, Torino 1964^{2}.

POMA, G., *Gli studi recenti sull'origine della repubblica romana*, Bologna 1974.

Popoli e civiltà dell'Italia antica, voll. II-VII, Roma 1974-1978 (vasta opera collettiva che nei voll. II-V contiene trattazioni dei singoli gruppi etnici e culturali dell'Italia preromana, con particolare riguardo alle loro fasi di sviluppo più antiche, ad opera di diversi autori specialisti, mentre il VI volume è dedicato alla materia linguistica e il VII offre saggi di sintesi).

Prima Italia (catalogo di mostra sull'arte dei popoli dell'Italia preromana), Bruxelles-Roma-Atene 1980-1981.

Pugliese Carratelli, G., *Scritti sul mondo antico*, Napoli 1976 (raccolta di articoli precedentemente pubblicati, alcuni dei quali più o meno direttamente interessanti la storia dell'Italia preromana: si citano in particolare [con l'anno di prima edizione]: *Per la storia delle relazioni micenee con l'Italia* [1958]; *Achei nell'Etruria e nel Lazio?* [1962]; *Intorno alle lamine di Pyrgi* [1965]; *Lazio, Roma e Magna Grecia prima del secolo IV a.C.* [1968]; *Le vicende di Sibari e Thurii* [1974]).

Puglisi, S., *La civiltà appenninica*, Firenze 1959.

Radke, G., *« Italia ». Beobachtungen zu den Geschichte eines Landesnamens*, in « Romanitas » (1967), pp. 35-51.

Randall MacIver, *Italy before the Romans*, Oxford 1928.

Richter, G.M.A., *Ancient Italy*, Ann Arbor 1955.

Ridgway, D. e F.R., v. *Italy before the Romans*...

— *L'alba della Magna Grecia*, Milano 1984.

Rix, H., *Das etruskische Cognomen*, Wiesbaden 1963.

Rosenberg, A., *Der Staat der alten Italiker*, Berlin 1913.

Salmon, E.T., *Samnium and the Samnites*, Cambridge 1967.

Sartori, F., *Problemi di storia costituzionale italiota*, Roma 1953.

— *La Magna Grecia e Roma*, in « Archivio Storico per la Calabria e la Lucania », XXVIII (1959), pp. 183-188.

— *Costituzioni italiote, italiche, etrusche*, in « Studi Clasice », X (1969), pp. 29-50.

Scavi nel santuario etrusco di Pyrgi. Relazione preliminare della settima campagna, 1964, e scoperta di tre lamine d'oro inscritte in etrusco e in punico, in « Archeologia Classica », XVI (1964), pp. 49-117 (contributi di M. Pallottino, G. Colonna, G. Garbini, L. Vlad Borrelli).

Schulze, W., *Zur Geschichte lateinischer Eigennamen*, Göttingen 1904; ristampa Berlin-Zürich-Dublin 1966.

Scullard, H.H., *The Etruscan Cities and Rome*, London 1967; ediz. italiana, *Le città etrusche e Roma*, Milano 1977².

Shervin-White, A.N., *The Roman Citizenship*, Oxford 1973².

La Sicilia antica, a cura di E. Gabba e G. Vallet, 2 voll. (5 tomi) (Napoli) 1980.

SORDI, M., *I rapporti romano-ceriti e l'origine della civitas sine suffragio*, Roma 1960.
— *Roma e i Sanniti nel IV secolo a.C.*, Bologna 1969.
SPERANZA, G., *Il Piceno dalle origini alla fine di ogni sua autonomia sotto Augusto*, Ancona 1934.
« Studi Etruschi », Firenze (è la rivista annuale specialistica che contiene il maggior numero di contributi sulla civiltà non soltanto dell'Etruria, ma di tutti i popoli dell'Italia preromana).
Studies in the Romanization of Etruria (Acta Instituti Romani Finlandiae) (scritti di vari autori), 5, 1975.
SUSINI, G., *Aspects de la romanisation de la Gaule Cispadane: chute et survivance des Celtes*, in *Comptes-rendus de l'Académie des Inscriptions et Belles Lettres*, 1965, pp. 143-163.
Thèmes des recherches sur les villes antiques d'occident (colloquio Strasbourg 1971), Paris 1977.
THOMSEN, R., *The Italic Regions from Augustus to the Lombard Invasion*, Copenhagen 1947.
TIBILETTI, G., *La romanizzazione della Valle Padana*, in *Civiltà romana nell'Italia settentrionale*, I, Bologna 1965, pp. 23-36.
TORELLI, M., *Senatori etruschi della tarda repubblica e dell'impero*, in « Dialoghi d'archeologia », III (1969), pp. 285-363; integrazioni in « Arheološki Vestnik (Accademia Slovena) », XXVIII (1977), pp. 251-254.
— *Per la storia dell'Etruria in età imperiale*, in « Rivista di Filologia e di Istruzione Classica », 1971, pp. 489-501.
— *Elogia Tarquiniensia*, Firenze 1975.
— *La romanizzazione dei territori italici*, in *La cultura italica* (Atti del Convegno della Società Italiana di Glottologia, Pisa 1977), Pisa 1978, pp. 75-88.
— *Storia degli Etruschi*, Bari 1981.
TORELLI, M.R., Τυρρανοί, in « La parola del passato », CLXV (1975), pp. 417-433.
TREVES, P., *Lo studio dell'antichità classica nell'Ottocento*, Milano-Napoli 1962.
TRUMP, D.H., *Central and Southern Italy before Rome*, London 1966.
VALLET, G., *Rhégion et Zancle*, Paris 1958.
— v. *Bibliografia topografica della colonizzazione greca...*
— v. *La Sicilia antica.*
VAN BERCHEM, D., *Rome et le monde grec au VI*[e] *siècle avant notre ère*, in *Mélanges d'archéologie et d'histoire offerts à A. Piganiol*, II, Paris 1966, pp. 739-748.

VAN COMPERNOLLE, R., *Étude de chronologie et d'historiographie siciliotes*, Bruxelles-Rome 1960.
Velia e i Focei in Occidente («La parola del passato»), 1966 (scritti di vari autori).
Velia et les Phocéens. Un bilan dix ans après (tavola rotonda del Centre J. Bérard), Napoli 1981.
VILLE, G., *La gladiature en Occident des origines à la mort de Domitien*, Paris-Rome 1981.
VLAD BORRELLI, L., v. *Scavi nel santuario etrusco di Pyrgi...*
WHATMOUGH, J., *The Foundations of Roman Italy*, London 1937.
WIKÉN, E., *Die Kunde der Hellenen von dem Lande und Völkern der Appeninenhalbinsel*, Lund 1937.
WILAMOWITZ MOELLENDORF, U. VON, *Storia italica*, in «Rivista di Filologia e Istruzione Classica», n.s. IV (1926), pp. 1-18 (= *Kleine Schriften*, V, 1, 1937).
WUILLEUMIER, P., *Tarente*, Paris 1939.
ZUFFA, M., *Scritti di archeologia*, Roma 1982 (raccolta di articoli precedentemente pubblicati, di cui più attinenti a problemi di storia italica [con le rispettive date di prima edizione]: *Scoperte e prospettive di protostoria nel Riminese* [1963]; *Le culture dell'Italia settentrionale all'inizio della conquista romana* [1964]; *Nuovi dati per la protostoria della Romagna Orientale* [1969]; *I commerci ateniesi in Adriatico e i metalli d'Etruria* [1975]; *I Galli sull'Adriatico* [1978]).

Richiami per ciascun capitolo, con riferimenti all'elenco bibliografico generale che precede (cognome dell'autore e data, o titolo abbreviato di opera collettiva):

Pubblicazioni d'interesse generale: *premessa* e capitolo I. *Per una definizione del concetto di «storia italica»*.

Adriani 1968; Altheim 1941; Atti V Congr. Intern. Studi Sicilia antica; Aufstieg Niedergang röm. Welt; Beloch 1925; Bianchi Bandinelli 1973; Calderone 1955; Ciaceri 1927-1932; De Sanctis 1907-1923; Devoto, Scritti minori 1967, 1969; Ducati 1938; Duhn 1924-1939; Dunbabin 1948; Furumark 1947; Gabba 1978; Gamurrini 1933-1936; Le genti non greche della Magna Grecia; Giannelli 1953; Göhler 1939; Heurgon 1961 (1979), 1969; Hofmann 1921; Homo 1953; L'Italie préromaine; Italy before the Romans; Klinger 1961; Langlotz 1968; Lepore 1963; Levi 1968; La Magna Grecia e Roma; Maiuri 1954, 1960; Mascioli 1942; Mazzarino 1945, Fra oriente e occidente 1947, 1983; Micali 1821, 1832; Momigliano 1966; Mommsen 1854-1857; Nissen 1883-1902; Les origines de la république romaine; Pais 1922, 1925; Pallottino 1971, 1972, 1979, 1981, 1984; Pareti 1952; La parola del passato; Pisani 1964; Poma 1974; Popoli e civiltà dell'Italia antica; Prima Italia; Radke 1967; Randall MacIver 1928; Richter 1955; Rix 1963; Rosenberg 1913; Sartori 1953, 1959, 1969; Schulze 1904; Scullard 1967; La Sicilia antica; Sordi 1960; Studi Etruschi; Thèmes des recherches sur les villes antiques; Thomsen 1947; Torelli M. 1975, 1981; Treves 1962; Van Berchem 1966; Whatmough 1937; Wilamovitz 1926.

Capitolo II. *Le origini.*

Bérard 1957; Il bronzo finale in Italia; Casson 1959; Cianfarani 1978; Civiltà del Lazio primitivo; De Francisci 1959; Duhn 1924-1939; Furumark 1947; Le genti non greche della Magna Grecia; Hencken 1968; Heurgon 1969; Italy before the Romans; Krahe 1949; Magna Grecia e mondo miceneo; Mansuelli 1965; Müller-Karpe 1959; Pallottino 1979, 1981, 1984; Patroni 1951; Popoli e civiltà dell'Italia antica; Pugliese Carratelli 1976; Puglisi 1959; La Sicilia antica; Speranza 1934; Trump 1966; Zuffa 1982.

Capitolo III. *L'età della fioritura arcaica (VIII-V secolo a.C.).*

Alföldi 1965; Atti V Congr. Intern. Studi Sicilia antica; Bérard 1957; Bibliografia topografica della colonizzazione greca; Braccesi 1977; Casson 1959; Ciaceri 1927-1932; Cianfarani 1978; Colonna 1974; De Francisci 1959; Dunbabin 1948; Le genti non greche della Magna Grecia; Giannelli 1928; Heurgon 1969; Italy before the Romans; Le lamine di Pyrgi; Langlotz 1968; La Magna Grecia e Roma in età arcaica; Mansuelli 1962, 1965; Mazzarino 1945; Metropoli e colonie di Magna Grecia; Morel 1975; Napoli 1969, Nuovi studi su Velia; Les origines de la république romaine; Pallottino 1972, 1979, 1980; Pareti 1914, 1959; Pasquali 1942; Poma 1974; Pugliese Carratelli 1976; Ridgway 1984; Sartori 1953, 1959, 1969; Scavi nel santuario etrusco di Pyrgi; La Sicilia antica; Vallet 1958; Van Berchem 1966; Van Compernolle 1960; Velia e i Focei; Velia et les Phocéens; Wikén 1937; Wuilleumier 1939.

Capitolo IV. *L'età della crisi (V-IV secolo a.C.).*

Atti V Congr. Intern. Studi Sicilia antica; Bibliografia topografica della colonizzazione greca; Braccesi 1977; Casson 1959; Ciaceri 1927-1932; Colonna 1974; Couissin 1930; Della Corte 1955-1956; Devoto 1967; Dunbabin 1948; Fogolari 1981; Frankfort 1959; I Galli e l'Italia; Le genti non greche della Magna Grecia;

Giannelli 1928; Heurgon 1957, 1969; Kruta 1980, 1981; Lambrechts 1959; Langlotz 1968; Loicq 1978; Mansuelli 1962, 1965, 1969; Mazzarino, Introduzione alle guerre puniche 1947; Napoli 1969; Pallottino 1979; Pareti 1914, 1959; Salmon 1967; Sartori 1953, 1969; La Sicilia antica; Sordi 1960, 1969; Speranza 1934; Torelli M. 1975; Torelli M.R. 1975; Vallet 1958; Van Compernolle 1960; Wikén 1937; Wuilleumier 1939; Zuffa 1982.

Capitolo V. *Continuità italiche nell'unificazione romana.*

Bernardini 1966; Brunt 1971; Couissin 1930; De Sanctis 1976; Devoto 1967; Felletti Maj 1977; Fogolari 1981; Frankfort 1959; Gabba 1954, 1971, 1978; I Galli e l'Italia; Göhler 1939; Harris 1971; Hatzfeld 1919; Hellenismus in Mittelitalien; Herbig 1942; Heurgon 1961 (1979); Ilari 1974; L'integrazione dell'Italia nello stato romano; Kruta 1980, 1981; Lambrechts 1959; Lejeune 1977, 1978; Lepore 1963; Liou 1969; Loicq 1978; Marzullo 1956; Mazzarino, Introduzione alle guerre puniche 1947; Meyer 1958; Momigliano 1932; Paratore 1945; Peyre 1979; Pfiffig 1960; Rix 1963; Salmon 1967; Sartori 1969; Sherwin-White 1973; La Sicilia antica; Sordi 1969; Studies in the Romanization of Etruria; Susini 1965; Thomsen 1947; Tibiletti 1965; Torelli M. 1969 (e 1977), 1971, 1975, 1978; Torelli M.R. 1975; Ville 1981; Wuilleumier 1939; Zuffa 1982.

AGGIORNAMENTO BIBLIOGRAFICO

L'elenco che segue comprende le opere più o meno direttamente riferibili all'argomento del libro pubblicate dopo il 1984 e 1985, anni delle prime edizioni, cioè nel trascorso decennio. Il criterio di scelta per quel che riguarda l'importanza e il contenuto dei titoli è lo stesso della bibliografia originaria che qui precede. Così pure l'ordine di presentazione è alfabetico per autori o per titoli delle pubblicazioni collettive (con rimandi agli autori se citati ed eventuale richiamo in esponente all'argomento centrale). Alla redazione di questo repertorio hanno contribuito in modo essenziale i dati forniti da Mauro Cristofani che l'autore vivamente ringrazia.

ADAMESTEANU, D., v. *Megale Hellas.*

AMPOLO, C., v. *Italia omnium terrarum parens.*

Archeologia dei Messapi (Catalogo di Mostra), Bari 1990.

BARTOLONI, G., *La cultura villanoviana*, Roma 1989.

Bibliografia topografica della colonizzazione greca in Italia e nelle isole tirreniche, diretta da G. NENCI e G. VALLET, III-V, VII-X, XII: *Siti*, in ordine alfabetico (da Abaceno a Criomarco) e VI, XI: *Opere di carattere generale. Addenda*, Pisa-Roma 1984-1993.

BONGHI JOVINO, M., v. *Rasenna.*

Brettii, v. *Per una identità culturale dei Bretti*, e P.G. GUZZO, *I Bretti.*

La Campania tra VI e III secolo (Atti del XIV Convegno di Studi etruschi e italici, Benevento 1981), Galatina 1992.

Campania, v. *Storia della Campania*, I.

CAMPANILE, E., v. *Lingua e cultura degli Oschi*, e *Rapporti linguistici e culturali fra i popoli dell'Italia antica.*

CAMPOREALE, G., v. *Rasenna.*

CAPUIS, L., *I Veneti*, Milano 1993.

Celti ed Etruschi nell'Italia centro-settentrionale dal V secolo a.C. alla romanizzazione (Atti del Colloquio internazionale, Bologna 1985), Bologna 1989.

I Celti (Catalogo della Mostra di Venezia, Palazzo Grassi), Milano 1991.

Chieco Bianchi, A.M., v. *Italia omnium terrarum alumna.*
La civiltà dei Falisci (Atti del XV Convegno di studi etruschi e italici, Civita Castellana 1987), Firenze 1990.
La civiltà picena nelle Marche. Studi in onore di G. Annibaldi, Ripatronsone 1992.
Colonna, G., v. *Rasenna* e *Italia omnium terrarum alumna.*
Comunità indigene e problemi della romanizzazione nell'Italia centromeridionale (IV-III sec. av. C.) (Actes du Colloque International Rome 1990), Bruxelles 1991.
Crise et transformation des sociétés archaïques de l'Italie antique au Ve siècle av. J.-C. (Actes de la Table Ronde, 1987), Roma 1990.
Cristofani, M., *Saggi di storia etrusca arcaica*, Roma 1987.
— v. *Rasenna.*
D'Agostino, B., v. *Italia omnium terrarum alumna* e *Italia omnium terrarum parens.*
D'Andria, F., v. *Italia omnium terrarum alumna.*
De Juliis, E., *Gli Iapigi*, Milano 1988.
— v. *Italia omnium terrarum alumna.*
De Marinis, R., v. *Italia omnium terrarum alumna.*
Descoeudres, J.P., v. *Greek Colonists and Native Populations.*
Etruscorum antequam Ligurum. La Versilia tra VII e III secolo a.C. (Catalogo della Mostra, Pietrasanta), Pontedera 1990.
Etrusker nördlich von Etrurien (Atti Simposio, Vienna 1989), Wien 1992.
Falisci, v. *La civiltà dei Falisci.*
Forti, L., v. *Megale Hellas.*
Frederiksen, M., *Campania*, Hartford 1984.
Gabba, E., *Roma e l'Italia*, in *Roma e l'Italia radices imperii* (collana *Antica Madre*), Milano 1990, pp. 41-87.
Gens antiquissima Italiae. Antichità dell'Umbria in Vaticano (Catalogo della Mostra 1988), Perugia 1988. (Successive edizioni a Budapest, Cracovia, Leningrado, New York).
Gigante, M., v. *Megale Hellas.*
Gleirsch, P., v. *I Reti.*
La grande Roma dei Tarquini (Catalogo di Mostra), Roma 1991.
Greek Colonists and Native Populations (edit. J.P. Descoeudres), Canberra-Oxford 1990.
Gullini, G., v. *Megale Hellas.*
Heurgon, J., *Rome et la Méditerranée occidentale jusqu'aux guerres puniques*, 3e édit., Paris 1993.
Italia omnium terrarum alumna. La civiltà dei Veneti, Reti, Liguri, Celti, Piceni, Umbri, Latini, Campani e Iapigi (collana *Antica Madre*), con saggi di A.M. Chieco Bianchi, R. De Marinis, V.

Kruta, M. Landolfi, F. Roncalli, G. Colonna, B. D'Agostino, E.M. De Juliis, F. D'Andria, Milano 1988.
Italia omnium terrarum parens. La civiltà degli Enotri, Choni, Ausoni, Sanniti, Lucani, Brettii, Sicani, Siculi, Elimi (collana *Antica Madre*) con saggi di V. La Rosa, R. Peroni, B. D'Agostino, M. Lombardo, A. La Regina, D. Briquel, A.L. Prosdocimi, C. Ampolo, N.F. Parise, Milano 1989.
Italici in Magna Grecia Atti del Convegno, Acquasparta 1987), Venosa 1990.
Keaveny, A., *Rome and the Unification of Italy*, London 1987.
Kruta, V., v. *Italia omnium terrarum alumna.*
Landolfi, M., v. *Italia omnium terrarum alumna.*
La Regina, A., v. *Italia omnium terrarum parens.*
La Rosa, V., v. *Italia omnium terrarum parens.*
Lepore, E., *Origini e strutture della Campania antica. Saggi di storia etno-sociale*, Bologna 1989.
Da Leukania a Lucania. La Lucania centro-orientale fra Pirro e i Giulio-Claudii (Catalogo della Mostra Venosa, 1992), Roma 1992.
Liguri, v. *Etruscorum antequam Ligurum. La Versilia tra VII e III secolo A.C.*
Lingua e cultura degli Oschi, a cura di E. Campanile, Pisa 1985.
Lucania, v. *Da Leukania a Lucania.*
Magna Grecia, autori vari a cura di G. Pugliese Carratelli, I-IV, Milano 1985-1990.
Mansuelli, G.A., v. *Rasenna.*
Megale Hellas (collana *Antica Madre*) con saggi di G. Pugliese Carratelli, A. Stazio, D. Adamesteanu, G. Gullini, P. Orlandini, A. Szabó, M. Gigante, L. Forti, L. Vagnetti, C. Rolley, Milano 1983.
Mele, A., *Le popolazioni italiche*, in *Storia del Mezzogiorno*, I, Napoli 1991, pp. 237-300.
Messapi, v. *Archeologia dei Messapi.*
Metzger, I., v. *I Reti.*
Momigliano, A., v. *Storia di Roma*, I, *Roma in Italia.*
Nenci, G., v. *Bibliografia topografica della colonizzazione greca in Italia e nelle isole tirreniche.*
Orlandini, P., v. *Megale Hellas.*
Oschi, v. *Lingua e cultura degli Oschi.*
Pallottino, M., v. *Rasenna.*
Parise, N.F., v. *Italia omnium terrarum parens.*
Peroni, R., v. *Italia omnium terrarum parens.*
Piceni, v. *La civiltà picena nelle Marche.*
Poccetti, P., v. *Per un'identità culturale dei Bretti.*

Preistoria, storia e civiltà dei Sabini (Convegno di studio, Rieti 1992), Rieti 1986.
PROSDOCIMI, A.L., v. *Italia omnium terrarum parens.*
PUGLIESE CARRATELLI, G., v. *Megale Hellas*, *Magna Grecia*, *Storia della Campania I.*
Rapporti linguistici e culturali tra i popoli dell'Italia antica, a cura di E. CAMPANILE, Pisa 1991.
Rasenna, Storia e civiltà degli Etruschi (collana *Antica Madre*), con saggi di M. PALLOTTINO, M. TORELLI, M. CRISTOFANI, G. CAMPOREALE, G. COLONNA, F. RONCALLI, G.A. MANSUELLI, M. BONGHI JOVINO, Milano 1986.
I Reti, a cura di I. METZGER, P. GLEIRSCH, Bolzano 1992.
ROLLEY, C., v. *Megale Hellas.*
Roma, v. *Storia di Roma*, I, *Roma in Italia*, e *La grande Roma dei Tarquinii.*
RONCALLI, F., v. *Rasenna.*
Sabini, v. *Preistoria, storia e civiltà dei Sabini.*
Salento porta d'Italia (Atti del Convegno, Lecce 1987), Galatina 1989.
Samnium. Archeologia del Molise (Catalogo di Mostra), Roma 1991.
SCHIAVONE, A., v. *Storia di Roma*, I, *Roma in Italia.*
STAZIO, A., v. *Megale Hellas.*
Storia della Campania, I. *L'evo antico*, a cura di G. PUGLIESE CARRATELLI, Napoli 1992.
Storia di Roma, I. *Roma in Italia*, a cura di A. MOMIGLIANO e A. SCHIAVONE, Torino 1989.
SZABÓ, A., v. *Megale Hellas.*
TORELLI, M., v. *Rasenna.*
TRAINA, G., *Roma e l'Italia: tradizioni locali e letteratura antiquaria (II A.C.-II D.C.)* in «Rendiconti dell'Accademia Nazionale dei Lincei», s. 9, IV (1993), pp. 585-636, e V (1994), pp. 87-118.
Umbria, v. *Gens antiquissima Italiae.*
VAGNETTI, L., v. *Megale Hellas.*
VALLET, G., v. *Bibliografia topografica della colonizzazione greca in Italia e nelle isole tirreniche.*
I Volsci (Atti dell'XI Incontro di Archeologia laziale. Quaderni di archeologia etrusco-italica 21), Roma 1992.

INDICI

INDICE DELLE FIGURE

INDICI ANALITICI

Gl'indici riguardano la materia contenuta nel testo dei capitoli del libro e nel quadro cronologico.

I. Soggetti storici e geografici

Le voci dell'indice, quando si tratti di cose poco note o che esigano spiegazioni, sono accompagnate da brevi riferimenti illustrativi. Ai nomi si aggiungono tra parentesi le forme della lingua originaria o delle lingue in cui i nomi stessi sono tramandati (greco, latino, occasionalmente etrusco, osco, umbro), fatta eccezione per i casi di personaggi o di nozioni geografiche familiari ad ogni persona di cultura come ad esempio Pericle, Augusto, Virgilio, Atene, Tevere e simili. I nomi propri personali sono indicati nell'ordine alfabetico dei gentilizi, salvo ovviamente i casi più notori testé indicati. Per i soggetti di più generale interesse e di più frequente ricorrenza (per es. Italia, Campania, Etruschi, Roma, ecc.) i richiami si limitano alle pagine dove la trattazione è specifica e più estesa.

tiero cartaginese in Sardegna, 100.
Amilcare, generale cartaginese battuto ad Imera, 114.
Amiterno (Amiternum), 190.
Anaxilas, tiranno di Reggio, 107 ss., 114, 136, 207.
Ancona (Ankon), 143, 209.
Androkles, re leggendario in Sicilia, 60.
Andromadas, legislatore a Reggio, 106.
Annibale, 163 ss., 212.
Antenore, 37, 59.
Antonio (Marcus Antonius), 196.
Anzio (Antium), 125, 160.
Aosta, v. Augusta Praetoria.
Apelle (Apelles), ammiraglio siracusano, 136, 208.
Appennini, 121, 179.
appenninico, cultura della media età del bronzo, 41, 49, 62, 203.
Apuli, 45, 66, 92, 127, 137, 183, 190; v. anche Iapigi, Puglia.
Apulia, parte della II regione augustea, 13, 193; v. Puglia.
Aquae Cutilliae, località dell'antica Sabina vicino a Rieti, 122.
Aquileia, 179, 192.
Arcadi: traduzioni leggendarie, 37 ss., 56, 58.
Archidamo (Archídamos), re di Sparta, 147, 210.
Archita (Archites), filosofo, scienziato e statista a Taranto, 145, 149, 209.
Ardea, 171.
Arezzo (Arretium), 84, 125, 133 ss., 146, 159 ss., 162, 176, 188, 191, 209.
Argonauti, 58.
Aricia, moderna Ariccia, 109, 149; battaglia, 110, 207.
Arii, 38.
Aristeo (Aristaios), eroe greco leggendario colonizzatore della Sardegna, 58, 100.
Aristodemo (Aristodemos), tiranno di Cuma, 108, 110, 206 ss.
Aristophilides, signore (re?) di Taranto, 108.
Arno: foce, 135.
Arnoaldi, fase della tarda cultura villanoviana a Bologna, 91.
Arnobio (Arnobius), scrittore cristiano, 200.
Arpi, 158.
Arpino (Arpinum), 190.
Artas, re dei Messapi, 128.
Artemisio, capo, in Spagna: battaglia navale, 113.
Ascoli Piceno (Ausculum), 182, 186.
Asdrubale, figlio di Magone, condottiero cartaginese in Sardegna, 100.
Asia, 51, 84, 186; Asia Minore, 100, 203, 207.
Asinio, Herio (Herius Asinius), condottiero dei Marrucini nella guerra sociale, 182, 191.
Asinio Pollione (Gaius Asinius Pollio), uomo politico e scrittore romano nipote del precedente, 191.
Assisi (Asisium), 190.
Astarte, dea fenicia, 104, 112.
Asyochos, re leggendario delle Isole Eolie, 60.
Atella, Atellane, 196.
Atene, 29, 81 ss., 106, 113, 120, 124, 128, 136 ss., 140, 145, 198, 205 ss.
Aterno (Aternus), 193.
Ateste, v. Este; « atestina » cultura, v. Veneti.
Ati (Atys), re di Lidia in età eroica, 59.
Attidium (Atiersi-), città dell'Umbria, 125.
Augusta Praetoria, moderna Aosta, 192.
Augusta Taurinorum, moderna Torino, 192.
Augusto, precedentemente Ottaviano, 188 ss., 191, 196 ss., 213; regioni augustee d'Italia, 13, 193, 195.
Aurunci, popolo, 57, 157; Monti Aurunci, 214.
Ausculum, nel Piceno, v. Ascoli; in Puglia, 163.

Iapigi (Iápyges, nella forma latina Apuli), 37, 57, 62, 66, 92 ss., 127 ss., 150, 155, 203 ss.; v. anche Apuli, Dauni, Messapi, Peucezi, Puglia.
Iapuzkus, popolazione adriatica il cui nome si ricollega a quello degli Iapigi, 125.
Iberia, 95, 113, 174, 205; v. anche Spagna.
Ibico (Ibycos), poeta di Reggio, 95.
Iegio, Minio o Minato (Minius o Minatus Iegius), capo sannita nella guerra sociale, 182.
Iguvium, v. Gubbio.
Iliei (Ilieis, Ilienses), principale popolazione indigena della Sardegna, 99 ss.
Illiria, area, lingua, 53, 62, 66.
Imera (Himera), 79, 136; battaglia, 113 ss., 136, 207.
Imola: territorio, 126.
India, 38.
indoeuropee lingue, 38 ss., 41 ss., 50 ss.
Insubri (Insubres), stirpe gallica, 130, 164.
Iokastos, re leggendario nell'Italia meridionale, 60.
Iolao (Iolaos), eroe greco leggendario colonizzatore della Sardegna, 58.
Ioni, stirpe, eventi storici, 78, 100, 138, 207.
Ionia, 95 ss., 107, 206.
Ionio, Mare, 70, 75, 96, 118, 132, 160, 167.
Ippia (Hippias), tiranno di Atene, 206.
Ippocrate (Hippokrates), tiranno di Gela, 108.
Ipponio (Hipponion), 145.
Iran, 38.
Irpini (Hirpini), 175, 183.
Ischia, isola, 27, 59, 76, 136 ss., 204; v. anche Pitecusa.
Isernia (Aisernia, Aesernia), 185 ss.
ispano-caucasico, substrato linguistico, 51.
Istieo (Histiaios), tiranno di Mileto.
Istria, 71.
Itali, popolo dell'estremità dell'Italia meridionale, 57, 66.
Italia, 11 ss., 20 ss., 30 ss., 97, 138, 166, 183 ss., 197; Italia meridionale, 59, 63 ss., 66 ss., 69, 75 ss., 193, v. anche Magna Grecia; Italia settentrionale e adriatica, 69, 90 ss., 130 ss., 164, 174, 179, 189, 193, 213, v. anche Padana, pianura; Italia (Viteliú), come nome del territorio e della comunità degli alleati insorti contro Roma nella guerra sociale, e della città di Corfinio, 183 ss.
Italici, in generale e supposta unità etnico-linguistica originaria, 38 ss., 41, 58, 68, 166; Italici occidentali: lingue, 52 ss., Italici orientali di lingua osco-umbra, 32, 40, 45, 53 ss., 66, 68 ss., 93, 120 ss., 123, 128, 138, 142, 145, 165 ss., 171 ss., 177 ss., 180 ss., 184, 194, 204, 213.
Italioti (Italiotai), Greci d'Italia, 142 ss., 149; v. anche Greci.
Italo (Italos), re leggendario, 57, 60.

Karalis, v. Cagliari.
Kolaios, navigatore di Samo, 95, 205.
Kolophon, 79, 97, 205.
Kylon, signore di Crotone, 108.

Lacinio, Capo, 160.
Laconi, v. Sparta.
Lafrenio, Tito (Titus Lafrenius), capo dei Vestini nella guerra sociale, 182.
Lamone: valle, 126.
Lampon, generale ateniese emissario di Pericle in Italia, 137.
Lamponio, Marco (Marcus Lamponius), capo dei Lucani nella guerra sociale, 182.
Laos, 79, 98.
Latini, popolo, civiltà, eventi storici, 38, 44 ss., 57, 62, 67 ss., 92, 137, 146, 149, 153 ss., 156 ss., 175, 186 ss., 190, 204, 207, 210;

II. Nomi degli autori

1. Autori antichi.

Si citano qui di seguito soltanto gli scrittori considerati per il loro valore di fonti storiche. Come personaggi essi sono stati elencati sopra nell'indice dei soggetti storici e geografici.

2. Autori moderni.

Si escludono le citazioni dalla bibliografia che già presenta i nomi degli autori in ordine alfabetico.

INDICE GENERALE

Nella stessa collana

Franco Cimmino
Vita quotidiana degli Egizi

Mario Attilio Levi
Augusto e il suo tempo

Gabriele Mandel
Corano senza segreti

Giovanni Pettinato
Babilonia
Centro dell'universo

Giovanni Pettinato
Ebla
Nuovi Orizzonti della storia

Appunti

Appunti

Appunti

Appunti

Appunti

Appunti

Appunti

Se questo libro
ti è piaciuto,
consiglialo agli amici

Finito di stampare nell'aprile 1994
da «La Tipografica Varese S.p.A.»

Editore: Rusconi Libri s.r.l., viale Sarca 235, 20126 Milano